新潮文庫

魂萌え！

上巻

桐野夏生著

目次

魂萌え！

上巻

第一章　混乱

隆之《たかゆき》の棺《ひつぎ》を載せて、霊柩車《れいきゅうしゃ》のドアが閉じられた。斎場の前に集まった参列者が一斉に手を合わせる。だが、関口敏子《としこ》は、遺影を胸の前で抱え、ぼんやりしていた。

夫が死んだ、という実感がないままに、通夜《つや》や葬式が勝手に進行していく。胸の中が空っぽで、思う存分泣きたいと思っても、その力さえもなかった。

突然、ごうっと音がして風が吹いた。小さな旋風《つむじかぜ》が回転して砂塵《さじん》を巻き上げ、参列者の髪を乱した。老女が喪服のワンピースの裾《すそ》を押さえ、名前も知らない親戚《しんせき》の子供が目を擦《こす》った。旋風は離れがたいように、霊柩車の周囲をくるくると巡って、一向に去らなかった。

「お父さんが、皆にさよならって言ってるんだね」

長女の美保《みほ》が泣き腫《は》らした顔で囁《ささや》いた。美保は、葬儀の間中、泣きじゃくっていた。

三十一歳にもなったのに、立ち居振る舞いも言動も子供っぽい娘は、自分の悲しみを受け止めるのに精一杯で、母親を気遣うところまではいかない。

敏子は空を見上げた。二月の曇天が陰鬱《いんうつ》に広がっているが、寒くはなかった。まだ二月の初頭だというのに、春めいた日が続いている。葬式には幸いだが、それも凶事めいて感じられる。

奇妙なことに、出棺の時も、家の前だけに同じような旋風が吹いた。敏子は、隆之が住み慣れた家に別れを告げているように感じられてならなかった。

この風も、不意の死を迎えた隆之が、無念の思いで吹かせているのかもしれない。敏子は、旋風が移動したり、たゆたう様を眺めた。さようなら。心の中で呼びかけた途端に脱力しそうになり、敏子は必死に持ち堪《こた》えようと背を伸ばした。

「お母さん、お母さん」

敏子を呼ぶ声がした。声に苛立《いらだ》ちが感じられる。霊柩車のドアの前で、白木の位牌《いはい》を片手で持った長男の彰之《あきゆき》が顎《あご》をしゃくっていた。早く乗れ、と言いたいのだろう。彰之の声がした途端に旋風が収まっている。

「あーあ、いなくなっちゃった」

美保が残念そうに肩を落とし、敏子と一緒に霊柩車に歩きかけると、彰之が怒鳴った。

「お前はバスだよ。お母さんと俺が霊柩車」

「兄貴、うざいんだよ」

美保が仏頂面《ぶっちょうづら》になった。マイクロバスの中には、親戚たちに混じって、彰之の妻、由佳里《ゆかり》と、四歳と二歳の孫たちがすでに座っている。由佳里は関心のない顔で、集まった人々を眺めていた。

「采配《さいはい》振るっちゃって馬鹿《ばか》みたい」

敏子は美保をたしなめた。

「あなたたち、喧嘩《けんか》しないでよ」

久しぶりに顔を合わせた彰之と美保は、二人きりの兄妹なのに、何かといがみ合っている。

「だって、偉そうじゃない。あたしだって最後くらいお父さんと一緒にいたいよ」

美保はぶつくさ言って、バスに向かった。

ロスアンジェルスで何をしていたのか、葬儀のために八年ぶりに帰国した長男は、顔にも腹にも贅肉《ぜいにく》を付け、やたらせっかちで、場を仕切りたがる男に変貌《へんぼう》していた。勿論《もちろん》、結婚したことも、子供が生まれたことも、時たま来る手紙や電話で知らされてはいたが、妻の顔も孫の顔も写真でしか見たことがなく、今回が初対面である。

「ああ、疲れた。葬式って、やたら疲れるね」

動きだした霊柩車の中で、彰之が自分の肩を揉《も》みながら言った。

「時差ぼけじゃないの」

敏子は、背後に夫の遺骸《いがい》が横たわっているのを意識しながら言った。あれだけ顔を見たがっていた息子の帰国が、自分の葬式のためだったと知ったら、夫は何と感想を洩《も》らすのか、聞いてみたい気がした。しかし、夫はもう二度と物言わぬ存在になったのだ。またしても気持ちが沈んでいく。敏子の気も知らずに、彰之はのんびり言った。

「てか、日本だね。俺、日本に疲れるよ。忙《せわ》しなくてさ。葬式も何もかも、流れ作業じゃない」

「流れ作業だから、いいのね」

敏子の呟《つぶや》きに、彰之はさすがにはっとして、押し黙った。敏子は、運命が急転した三日前のことを思い出していた。遥《はる》か昔の出来事のようにも感じられた。

隆之はその日、趣味の蕎麦《そば》打ちに出かけて、帰るなりこう言った。

『初めて十割蕎麦がうまく打ててね、とても旨《うま》かったよ。持って帰りたかったけど、皆に振る舞ってしまった。今井さんにえらく褒められた』

今井というのは、隆之が尊敬している蕎麦打ちの師匠である。よほど嬉《うれ》しかったのだろう、と敏子は隆之の顔を見た。言葉と裏腹に、眉《まゆ》の辺りに翳《かげ》りがあった。しかも、隆之は同じ言葉を何度もしつこく繰り返した。

敏子は少し嫌な気がした。数日前から、隆之は急にものが見えにくくなった、と老眼鏡を掛けたり、外したりしてテレビを見ていたからだ。また、手足の先が痺《しび》れるようだ、などと普段言わないことを呟いたりもした。敏子は、「脳の血管でも少し詰まっているんじゃないの」と冗談めかして、それとなく案じたが、隆之は「大丈夫だよ」と煩《わずら》わしそうに言うので、敏子は気を悪くして口を噤《つぐ》んだのだった。隆之は、退職後も健康診断を欠かさなかったし、ゴルフと蕎麦打ちを楽しんでいる体力に自信を持っていた。

隆之はいつになく長く風呂《ふろ》に浸《つ》かっていた。風呂場から出る気配はしたが、なかなか居間に現れない。テレビを見ていた敏子は、何度か風呂場の方に注意を向けたが、気にはならなかった。が、さすがに時間が経《た》つと心配になって脱衣場を覗《のぞ》いたのだった。

隆之は下着姿で、蹲《うずくま》るように転倒していた。その時はまだ息があったが、救急車で運ばれた先の病院で意識不明のまま、あっけなく亡《な》くなってしまったのだ。心臓麻《ま》痺《ひ》。享年《きょうねん》六十三歳。あまりにも意外な、そして早過ぎる死だった。

敏子は真っ先に、美保の携帯に電話した。別れの言葉も交わさずに逝《い》ってしまった夫が自分を裏切った気がして、泣くに泣けないばかりか、腹立ちさえ覚えていた。その気持ちを、まず娘に聞いてほしかった。

「今、仕事中なんだけど」

夜十時過ぎまで、コンビニで働いている美保は無愛想に言った。美保は二年前に家を出て、自活している。

「美保、驚かないで聞いてね。お父さんが死んじゃったのよ」

一瞬の間が空き、美保が憤慨したように言った。

「死ぬ訳ないじゃん」

「本当なのよ」

「嘘《うそ》だよ」

「嘘だったら、どんなにいいかと思うけど」

病院の夜間受付の前は薄暗い。敏子は公衆電話の受話器を握りしめたまま、自分の言葉に衝撃を受けて、嗚咽《おえつ》してしまった。警備員が気の毒そうに目を背けるのがわかったが、嗚咽は止まらなかった。受話器から、美保の慌《あわ》てた声が聞こえてきたが、答えることができなかった。

「お母さん、あたしどうしたらいい。ねえ、どうしたらいいのよ。言ってよ、ねえ」

と。

　それからは、泣いてる暇などなかった。急を聞いて病院に駆け付けてくれた隆之の次兄と共に遺体を家に搬送し、病院で紹介して貰《もら》った葬儀屋と打ち合わせをした。やることや決めることはいくらでもあった。顔色を変えた兄弟たちが続々とやって来る。隆之は二人の兄と一人の姉が健在だ。末っ子の隆之が一番先に死ぬなんて、と長兄が涙ながらに言った。

「俺が七十一、美根子が六十八、義之《よしゆき》が六十六。隆之はまだ六十三だろう。若いよなあ」

「敏子さん、隆之の心臓、前から悪かったんじゃないの。気付かなかったの」

　義姉のひと言が胸に突き刺さる。しかし、突き刺さったと気付いたのも、すべて葬儀の後だった。その時の敏子は必死で、連絡の取れない親戚に何度も電話したり、新しい白いシーツを探したり、考える余裕も悲しむ時間もなかった。

「ああ、ほんとなんだ。嘘みたい」

　アルバイトを交代して貰って、やっと早退《び》きしてきた美保が線香の匂《にお》いを嗅《か》いで叫んだ。走りだして、寝室に横たわる隆之の遺骸を見るなり、号泣するのが聞こえる。

敏子は、シンクに洗っていない茶碗《ちゃわん》があるのを見付け、水道の栓を捻《ひね》った。

「敏子さん、片付けは後でいいじゃない。あたしがやるから、隆之さんのところにいてあげてよ」

敏子の弟の妻が背後で言ってくれたのを聞いた途端に、敏子は、そうだった、夫は死んだのだ、とまた改めて思い起こし、こんな思いをこの先何度するのだろうかと果てしなく続く時間を重荷に感じたのだった。現実感のないまま、その夜は過ぎた。

翌日は、早朝から弔問客の応対に追われた。敏子は時折、キッチンのテーブルに頬《ほお》杖《づえ》を突いて、手伝いの女性たちが動き回る様を眺めた。寝室には祭壇が設《しつら》えられたし、隆之の兄弟、親戚たちが居間に居座っているために、敏子の居場所はどこにもなかった。一人になりたいと思ったが、一人でいる自信もなく、忙しい素振りをしているのだが、それでも気付くと座り込んでいる。敏子の心中を察してか、手伝いの女性たちもほとんど話しかけてこなかった。

隆之の次兄が気遣うようにやって来た。

「彰之君はいつ帰って来るの」

敏子は意味もなく、壁に掛かった時計を眺めた。

「もうそろそろじゃないでしょうか。お通夜には間に合うように来るそうですから」

彰之に電話をしたのは美保だから、直接話してはいない。敏子はロスアンジェルスと東京の時差も知らなかった。

「立派になっただろうな。ロスで成功してるっていうじゃない」

敏子は内心ひやりとした。彰之が渡米したのは、十年前だ。折角、都市銀行に勤めたのに、たった二年で辞めてしまった息子。彰之は、音楽をやりたいから、と隆之と敏子の反対を押し切って、渡米したのだ。

二年後にいったん帰国した彰之は、まだ夢に取り憑《つ》かれていた。石にかじりついても、スタジオ・ミュージシャンの道を行く、と熱く語り、隆之を感激させたものだ。しかし、音楽だけでは食えないので古着の卸業を始めた、と付け加えた。

どうやら、その古着の商売が現在の職業になったらしい。彰之は挫折《ざせつ》したことも、現在の状況も、両親には決して語ろうとしなかった。親の反対を押し切って行ったのに、初志を貫徹できなかったことが恥ずかしいのか、あるいはよほどアメリカが性《しょう》に合っているのか、日本に戻って来なくなったのだ。時々は帰国しているのかもしれないが、実家には顔を出さない。

五年前、美保がアメリカに旅行した時、彰之の家にしばらく泊めて貰ったことがあった。

『お兄ちゃんは、すごい美人の女の人と一緒に暮らしていた。ロスで知り合った日本人だって。もうじき結婚するって言ってた。景気も好《よ》さそうだったよ』

それを聞いて半ば安心していたのだが、隆之にも敏子にも、彰之はなぜ両親と疎遠《そえん》になりたがるのか、という憤懣《ふんまん》はあった。その憤懣は二人が歳《とし》を取るほどに強くなっていたのは事実だ。

急いで調達した黒のワンピースを着込んだ美保が、キッチンに入って来た。

「お母さん、マモルを呼んでもいいよね」

「いいわよ」

「一緒に並ぶの変かな」

はて、と敏子は考え込んだ。マモルは、美保と同棲《どうせい》している恋人だ。コンビニの店員をしている。今風に言えば、カレシということらしいが、結婚話も出ないし、いつまで続くかわからない、気楽ながらも不安定な関係のようだ。

美保は、一度も就職したことがない。短大を出た後、コンパニオンや販売など、腰の落ち着かない派手な仕事を沢山経て、現在はマモルと同じコンビニでアルバイトをしている。

「そうね。お父さんは知らなかったんだから、並ばない方がいいんじゃない」

「マモルはがっかりするかもね」

「仕方ないでしょう。会いに来たこともないんだし」

美保が同棲していることは、隆之には内緒だった。美保の暮らし振りは自由気儘《きまま》だが、代わり映えのしない日常を積み重ねて生きる実直さからはかけ離れている。金も貯《た》まらない。美保が始終、実家に帰って来ては小遣いをねだるので、隆之が先行きを心配していたことを思い出し、敏子は溜息《ためいき》を吐《つ》いた。

玄関が急に騒がしくなった。男の笑い声や子供の叫び声が聞こえる。長男一家がはるばるアメリカから到着したのだった。彰之は、親戚の伯父や伯母たちと挨拶《あいさつ》を交わした後、敏子の顔をちらりと見て、すぐに目を逸《そ》らした。

「変わらないな、ここ」

居間に入って来た彰之は、古くなったテレビや照明器具などを眺め回した。傍らに立っている女が、妻の由佳里らしい。思ったより、若く幼い。どう見ても、二十代後半だった。ジーンズに白いニットのコートを着て、長い髪を金茶に染めている。両脇《わき》に一人ずつ幼児の手を引き、愛想笑いをしていた。

「こんな時に何だけど、女房の由佳里です。娘の大安《だいあん》と息子の寧賛《ねいさん》」

由佳里が何も言わずに頭を下げた。

「ダイアンとネイサンかあ。カッコイイじゃん」

美保が吹きだした。由佳里が緊張を解いて、相好《そうごう》を崩した。笑うと目尻《めじり》に皺《しわ》が寄り、一気に十歳以上老《ふ》けて見えた。

「あたしが付けたんです」

親戚が、物珍しげに彰之一家を囲んだが、敏子は座敷を指さした。

「彰之、まずお父さんに報告なさい」

彰之は神妙な面持ちになり、革のジャケットを脱いだ。由佳里も真似《まね》てニットのコートを脱ぐ。四人はおずおずと寝室に入り、隆之の顔に掛けてある白い布をめくった。

昨夜より一段と青白くなった隆之の顔を、彰之が上から覗き込んだ。

「老けたなあ、オヤジ」

いきなり、彰之が、うっと嗚咽した。由佳里と子供たちは困惑した様子で畏《かしこ》まっている。

彰之は三十五歳になったはずだ。敏子は、肉が付いて、ふた回りも体が大きくなった彰之を観察した。オールバックにした髪の生え際《ぎわ》も少し後退してきて、隆之にそっくりの額になった。ジーンズを穿《は》いて真っ黒に陽灼《ひや》けし、口髭《ひげ》を生やした様子は、いかにも自由業と言わんばかりで、少々胡散《うさん》臭い。

彰之といい、美保といい、うちの子育ては失敗だったのかもしれない、と敏子は思った。その心配も、これからはたった一人で背負わなくてはならないのだ。私には伴侶《はんりょ》がいない。激しい喪失感が襲ってきて、敏子はうろたえた。悲しみだけではなく、人生という大きな荷を一人で負ったような恐怖感だった。が、親戚も子供たちも、敏子の胸の裡《うち》は気付かない。

「オヤジ、長いこと留守にしてすみませんでした」

彰之は謝った後、涙を拳《こぶし》で拭《ぬぐ》った。そして、娘と息子に言い聞かせた。

「ダイちゃん、ネイサン、この人がパパのパパだ。お前たちのおじいちゃんだ」

「グランパ」と、大安が叫んだ。満足そうに彰之は頷《うなず》いた後、威厳を作って言い渡した。

「ご覧、これが人の死というものなんだよ」

彰之が四歳の娘の小さな手を取り、隆之の頬に触らせた。

「どうだ」

「冷たいよー」

「そうだろ。死体って、こんなに冷たくなるんだ。さあ、ネイサンも触ってご覧」

嫌々、男の子の方も触れて、すぐに気味悪そうに手を引っ込めた。

彰之はそう言って、自分で何度も頷いている。自分自身が父親の死を納得するように。

「死というのは、厳《おごそ》かなもんだ。気持ち悪いなんて言っちゃいけないよ」

「気持ち悪ーい」

美保が呆《あき》れた風に呟いたのが聞こえ、同様に思っていた敏子は身を竦《すく》めた。悲しみもさることながら、早くも混乱の始まりが予見されたのだった。

「あんなところで教育しちゃってる。バッカみたい」

斎場からの帰途、敏子は骨壺《こつつぼ》の熱さと重さに音《ね》を上げた。この世から消えてしまった夫は、冷めるまで十時間以上もかかる熱い塊となって、敏子を切なくさせている。

今、隆之の骨壺は、六畳の和室に設えられた簡素な祭壇の中央に載っていた。横には、隆之の大きな遺影。同期仲間との、退職一周年記念パーティの時の写真である。本当は隆之は、明るい茶色のジャケットに、黄色いネクタイ姿で柔和に笑っている。本当は手にビールグラスを持っているのだが、葬儀屋がうまくカットしてくれた。

敏子は、茶でも淹《い》れようとキッチンに立った。葬儀が終わって親戚は皆帰り、残ったのは子供と孫たちだけだ。彰之と由佳里夫婦、美保と同棲中の恋人マモル。孫二人が駆け回って、葬儀の後だというのに居間は賑《にぎ》やかだった。

敏子が緑茶と和菓子を持って居間に入ると、大安と寧賛の二人が祭壇の前で歌い踊っていた。二歳の寧賛は姉の真似をしているが、大安は左手の拳をマイク代わりにして、表情たっぷりだ。和室は居間より少し高さがあるので、その段差を舞台に、花や果物の飾られた祭壇を舞台の背景に見立てているのだろう。敏子は褒めてやった。

「あらまあ、上手だこと」

由佳里がデジカメで写真を撮っているものだから、子供たちはますます調子に乗って、声を張り上げた。

「お母さん、あれ、ブリトニー・スピアーズの真似なんだって」

美保が指さして笑い転げた。歌手の名前は知らなかったが、そう言われてみれば、歌詞は英語のようだ。

「結構、堂に入ってるっすよね」

敏子と目が合ったマモルが、感心したように言った。流行の坊主頭《ぼうず》に、黒い喪服はあまり似合わない。葬儀に出席することになり、慌てて前橋に住む父親の喪服を借りに行ったのだという。

マモルは美保より五歳も年下なので、遠慮がちなのが、好ましいのか頼りないのか、敏子にも自分の感情がよくわからなかった。しかし、優しい青年ではある。我儘《わがまま》な美保によくついてくる、と感心することもあった。マモルは踊る幼児たちのリズムに合わせて、首を振っていた。

彰之は、ソファに胡座《あぐら》をかいてノートパソコンを開き、香典の計算に余念がない。

彰之が顔を上げた。

「お母さん、案外寂しい葬式だったね。退職すると退職者しか来ないもんだってことがよくわかったよ」

「確かに会社の人、来なかったわね」

敏子の言葉に、彰之はビールを飲みながら顔を顰《しか》めた。

「来てくれたのは、個人的な付き合いのあった人だけだろ。同期会と蕎麦打ち教室とかゴルフ仲間。引退って、そういうことなんだよな」

「仕方ないわよ」

四十年近くも勤めた会社からは、格別なことは何もして貰っていない。当たり前だとわかっていても、寂しさは募った。

十年ほど前に、隆之の仲の良かった社員が病気で亡くなり、敏子も葬儀に行ったことがあった。その時は、受付や案内に若い社員が動員されていて、悲しみを吹き飛ばすだけの勢いがあったように思う。

和室で笑い声が起きた。よっこらしょ、と由佳里と美保が代わりばんこに骨壺を持ち上げて、しみじみと言い合っている。

「ほんとに重いですね、これ」

「まだ温かいでしょう」

彰之が混ぜっ返した。

「俺、参ったよ。オヤジのホネ、重過ぎ。熱いしさ。霊柩車に乗ってる間、膝《ひざ》に焼け石載せてるみたいなんだよ。辛《つら》かったよ」

骨壺を抱えた美保が大袈裟《おおげさ》によろけてみせた。

「お母さん、これ何キロあると思う。皆で当てっこしようよ。由佳里さんは」

「十五キロくらいですかね」

由佳里が首を傾《かし》げて、自信なさそうに答えた。最初は遠慮していたらしいが、次第に敏子や美保にも慣れてきたのか、口数が多くなっていた。しかし、何度も会ったマモルと比べて、敏子が由佳里を扱いかねているのは事実だった。嫁という存在とどう対処していいのかわからないし、自分の悲しみに堪えるのが精一杯で、気を遣うところまでは到底いかない。

「そんなにはないよ。あたしは十二キロ、だな」

美保が反論した。

「だけど、美保さんは子供いないでしょう。子供を育てていると、しょっちゅう抱っこしてるから、何となくわかりますよ。寧賛くらいだから十五キロはありますって」

由佳里が案外、頑固に言い張った。例に出された寧賛が自分も持とうとするのを、駄目駄目、と皆に注意されてむくれている。

「ほら、お兄ちゃんもやってみてよ」

どら、とビールで顔を赤くした彰之が立ち上がり、白布に包まれた骨壺を抱え上げた。

「これは壺自体の重さがあるんだよ」

「だから、何キロよ」

美保の挑戦的な問いに、彰之が答えた。

「十三キロ」

「ほら、マモルも」

美保が手招きした。マモルは、俺もやっていいんすかあ、と口の中でぶつぶつ言っていたが、無理矢理持たされた。

「十四っすね。ビールケースくらい」

「昔、こういうテレビ番組なかったっけ」

美保が手を叩《たた》いてはしゃいだ。由佳里がすかさず言う。

「あ、目方でドン」

「そうそう。由佳里さんって、意外に古いこと言うね」

一同が爆笑した。笑い過ぎて目尻から涙をこぼした彰之が、敏子に聞いた。

「お母さん、体重計どこ。測ってみるから」

風呂場の方向を指で指し示すと、彰之が体重計を持って来た。隆之はあそこに倒れていたのだ、と敏子は一人思った。倒れている隆之を見た時の胸の痛みが蘇《よみがえ》る。だが、そんな敏子の気持ちに忖度《そんたく》なく、美保と彰之は骨壺を体重計に載せた。美保が由佳里を見て歓声を上げた。

「すごい、由佳里さん。ぴったし十五キロある」

由佳里がVサインを掲げて、にっこりした。何にも賞品は出ねえぞ、と彰之が苦笑しつつ、敏子の顔を窺《うかが》う。

「オヤジのホネで遊んじゃった。すみませんねえ、お母さん」

ホネホネ言わないでよ、と敏子は内心憤慨していたが、強くは言えなかった。夫の死と親の死は、悲しみの質が違うのだ。

「いいわよ。みんなが集まってるんで、お父さんも喜んでるんじゃないの」

一方で、死んでしまったのだから喜べるはずもないのだ、と思う。あれだけ彰之と会いたがっていた隆之の無念を、彰之は考えないのだろうかと息子の顔を見た。

彰之は敏子の気持ちになど気付かぬ様子で、またパソコンに向かっていた。由佳里と美保はすっかり仲良くなったらしく、談笑しながら茶を飲んでいる。子供たちは新しい遊戯を始め、手持ち無沙汰《ぶさた》のマモルだけが途方に暮れた様子で俯《うつむ》いていた。敏子は彰之に尋ねた。

「ところで、あなたたち、いつ帰るの」

彰之が目を泳がせた。

「初七日終わるまでいますよ。お母さん、悪いんだけど、俺と由佳里は明日、仕事があるんだわ。子供見てくれない」

「いいけど。何の仕事なの」

「貿易ですね、平たく言えば。俺が買い付けた古着を売りたいんですよ」

ふうん、と敏子は曖昧《あいまい》に頷いた。彰之がそれ以上言わないので、質問のしようもない。

彰之はちらりと妻の方を見遣《みや》った。由佳里は遊戯に飽きた子供たちと菓子を食べていた。

「いやあ、実はさあ」

「俺、そろそろ日本に帰って来ようかと思ってるんだよ。オヤジも死んじゃったし、潮時かなって。な、由佳里」

聞こえていたのか、由佳里が振り向いて、よろしく、と言わんばかりに頭を下げた。

「9・11以降、アメリカも何だか住みにくいし、俺も日本が恋しくなっちゃった」

「いいんじゃないの。したいようにすれば」

彰之一家が帰って来れば、自分も心強い。しかし、今更どうして自分にそんな相談をするのだろう、と敏子は長男の顔を眺めた。子供の頃は、敏子にそっくりだと言われた彰之は、自分の知らない中年男になろうとしている。親子とは不思議なものだと、敏子は思った。

彰之はさり気なく提案した。

「お母さん、考えておいてほしいんだけど、この家に一緒に住めないかな」

敏子は驚いて、反射的に遺影に目を遣った。あれだけ彰之に会いたがっていた隆之が死んだ途端に、同居話が出ることが皮肉に思えたのだ。彰之が真面目《まじめ》な面持ちでノートパソコンを閉じた。

「急に言われても困るだろうから、少し考えておいてよ。実は、俺たち、アメリカの商売畳んで、渋谷に店を出そうかと思ってるんでね。そうなると、最初は苦しいじゃない。家賃払うどころじゃないかもしれない。逆に言えば、お母さんだって、いつまでも一人じゃ無理なんだから、いつかは誰かと一緒に住まなきゃなんないと思ってさ。ここで初めて、互いの利害が一致する訳だよ」

「なるほどね。考えておくわ」

夫が死ぬということは、こういうことなのだ。いずれ、誰かの世話になる。子供もそれを当然と思って、親の生活に干渉するようになる。ずっと先の先の話だと思っていたのに。俄《にわか》にまた喪失感が蘇り、敏子は居ても立ってもいられなくなった。敏子は茶葉を替える振りをしてキッチンに向かった。すると、美保が追いかけて来て、耳許《みみもと》で囁いた。

「お母さん、聞こえたよ。今の話」

「どうしようか」

敏子は振り返って美保を見上げた。美保は敏子より、背が高い。

「どうしようか、じゃないよ」

美保は泣き通しだったため、目許が腫れたままだ。いつもはくっきりと化粧している二重瞼《まぶた》の目が茫洋《ぼうよう》とした印象に変わって、泣き虫だった幼児の頃の顔を彷彿《ほうふつ》とさせた。

「しっかりしてよ、お母さん。第一、由佳里さんて、あたしが五年前に会った人じゃないのよ。お兄ちゃん、もっと綺麗《きれい》な人と暮らしてたもの。きっと『できちゃった婚』だよ。絶対そういうタイプ」

「決め付けるのやめなさいよ」

敏子は注意した。さっきは談笑していたではないか、と我が娘ながら腹立たしい。

「お母さん、人が好《い》いから心配だよ。だって、お兄ちゃん、狡《ずる》いよ。自分で出て行った癖に、ちゃっかりこの家を乗っ取ろうと思ってるんだよ。それを言うなら、あたしにだって権利はあるんだからね」

家と言っても、東京都下の、たった三十坪の土地に建った小さな家だ。部屋は四つ。子供部屋二つと寝室にしている和室、居間。彰之が出て行った後、しばらく彰之の部屋も残してあったが、五年前から納戸《なんど》に化けていた。二十年も前に買った建て売り住宅だから、かなりがたもきている。改築したいと思っていた矢先の隆之の死だけに、敏子もどうしていいかわからない。だいたい、この家に彰之一家が来たら、自分がいる場所さえもないだろう。

「絶対にうんと言っちゃ駄目よ。お母さん、住むところなくなっちゃうよ」

「それはわかってるわよ。だって、ここは私の家よ」

きつく言った後、彰之はこの家は隆之の物だから、当然自分にも権利がある、と思っているのだと気付き、敏子は憂鬱《ゆううつ》になった。自分たち夫婦の物なのに。

美保は、敏子が甘い、という具合に何度も首を振った。

「そうだけどさ、お兄ちゃんたちは狙《ねら》ってるのよ。あの人たちが来たら、お母さんはどの部屋に行くの。あたしの部屋？　そんなの駄目よ。だって、あたしだって帰るところなくなっちゃうじゃない」

美保も彰之同様、勝手に話を進めそうだ。

「じゃ、こうしよう。あたしとマモルが一緒に住むよ。だったら、お兄ちゃんも来れないじゃん」

「何言ってるの。私は一人で住むつもりよ」

敏子は勢いよく茶葉を捨てた。苛立っていた。

「寂しくないの」

寂しいに決まっていた。しかし、マモルにしても、由佳里にしても、いきなり他人が来て、一緒に住むのは嫌だった。どうして隆之が突然死んで三日後に、こんな話をしていなければならないのだろうか。敏子は貧血を起こしそうになった。

「それにお母さん、お金、大丈夫なの」

考えたことがなかった。隆之の退職金の約半分はローンの全額返済に充《あ》てた。残りは老後のための預貯金に回したが、それとて一千万弱。贅沢《ぜいたく》さえしなければ、二人の年金と預金とで何とか遣《や》り繰りできるだろうと漠然と考えていたのだった。

「大丈夫だと思うわよ」

「思うわよ、じゃないよ。お父さんの分の年金減るんだよ」

「そうか、そうよね」

「暢気《のんき》だなあ」

「仕方ないわよ。突然死んじゃったんだもん」

敏子が叫ぶと、さすがに美保は顔を伏せたが、こう言った。

「お母さん、幾つだっけ」

「五十九よ」

「まだ若いんだから、働けば」

心なしか、自分を見る娘の目が冷たく感じられる。フリーターで将来のことなど何も考えていない、と心配していた娘が、同じように自分を非難しているのだ。衝撃だった。

「あのう、携帯鳴ってるんですけど」

由佳里が知らせに来た。薄気味悪そうに、眉を顰《ひそ》めている。

「誰の」

「それが洋服ダンスの中で鳴ってるみたいなんです」

隆之の携帯電話だ。敏子は慌てて和室に走った。タンスの中で籠《こ》もった音を響かせていた携帯電話はぴたっと止まった。隆之の死は友人や知人にあまねく知らされたらしく、誰もかけてはこない。だから、敏子は隆之の携帯の存在をすっかり失念していたのだった。

携帯が再び鳴りだした。敏子はタンスを開け、ハンガーに掛けてあった隆之のジャケットのポケットから携帯を取り出した。発信元は「伊藤」とある。伊藤という名の知り合いがいただろうかと考えながら、敏子は電話に出た。相手に早く隆之の死を知らせねば、と逸《はや》る気持ちだった。

「もしもし」

敏子の声に驚いたのか、先方は無言になった。

「もしもし、関口の妻でございます。どちらの伊藤様でしょうか」

まだ無言だった。

「あのう、関口は三日前に亡くなりました」

「あっ」と女の声がした。「そうだったんですか」

か細い声だった。年の頃はわからない。

「ご存じなかったんですね。今日、葬儀を終えたところです」

「そうだったんですか」

女は繰り返し、しんとした。泣いているような気配を感じ、敏子も悲しみが蘇った。

しかし、隆之の死を知らされていなかったということは、伊藤は知人の輪に入っていないか、誰も伊藤のことを知らないかだろう。どういう人間関係なのか、敏子は勇を鼓《こ》して聞いてみた。

「関口とはどういうお知り合いなのでしょうか」

「会社で大変お世話になった者です」

「そうですか。それはどうもありがとうございました」

敏子が礼を述べると、伊藤は遠慮がちに言った。

「あの、今度、お線香をあげに伺ってもよろしいでしょうか」

「それはもう是非。関口も喜ぶと思います」

伊藤は、はあ、と元気ない返事をして電話を切った。

「お母さん、誰なの」

彰之が缶ビールのプルリングを倒しながら、こちらを眺めている。

「伊藤さんという人」

「死んだ人の電話が鳴るとぞっとするね」

美保が身を震わせた。由佳里も頷く。彰之が興味を覚えた様子で手を出した。

「オヤジの携帯見せてよ」

「まだ駄目よ」敏子は拒否した。「お父さんだって、誰にも見せたくないと思うわよ」

何となく、夫を守りたい気分になっていた。夫という人間の尊厳やプライバシーや何もかも。それは敏子との生活そのものでもある。敏子は、携帯電話を買った日の隆之のはしゃぎぶりを思い出した。退職する二年前だった。

隆之はマニュアルと首っ引きで、使い方を覚えるのに夢中だった。やっと操作を修得すると、敏子に家の電話から何度もかけさせて悦に入っていた。敏子はそんなことを悲しく思い出しながら、隆之の携帯を再びジャケットのポケットに入れた。ジャケットは整髪料と体臭が染《し》み付き、ポケットの中にはガムとハンカチが入っていた。ハンカチは敏子が出がけに手渡してやったものだ。隆之も、まさかあの日、自分が死ぬとは思わなかっただろう。突然、涙が溢《あふ》れ出て、止まらなくなった。敏子が号泣しているので、彰之も美保も項垂《うなだ》れた。

初七日を終え、彰之たち一家は慌ただしく、アメリカに帰った。帰り際に、彰之は同居を考えておいてくれ、と念を押すのを忘れなかった。

弔問客も途絶え、敏子の身辺は落ち着きつつあったが、日増しに寂しさは募っている。美保が十日間ほど泊まり込んでくれたが、飼っている猫が心配なので、とアパートに戻って行った。

美保が帰った夜、敏子は寝室で途方に暮れた。これからは、一人で生きなければならないのだ。それにはまず、隆之の死という現実を受け止めなければ。

敏子は美保の部屋で寝ようと思ったが、迷った挙句、寝室に布団《ふとん》を敷くことにした。祭壇には、まだ遺影と遺骨がある。いつか、こんな日が来るだろうと想像したこともあるが、まだずっと先だと思っていた。隆之が退職して、ようやく夫婦二人の穏やかな日常が始まったばかりだというのに、一人でさっさと逝ってしまうとは。

暗い中で考えていると、最近、敏子が囚《とら》われている思いに行き着くのだった。倒れた時にすぐ救急車で運んでいれば、隆之は助かったかもしれないという悔い。自分はあの時、テレビを見ていた。それも、たいして見たくもないドラマだったのに、なぜ気付かなかったのだろう。風呂場に長く居るのが気になっていた癖に。敏子は遣り切れなさにいたたまれなくなり、目を開けた。動悸《どうき》が激しくなって、息が苦しい。

暗い部屋が怖《おそ》ろしかった。敏子は家中の明かりを点《つ》けて回りたい衝動に駆られ、布団から跳ね起きた。急いで、寝室と居間、キッチンの照明を点ける。白々とした部屋が浮かび上がった。自分はこれから、ここで一人で暮らさねばならない、死ぬまで。

敏子はソファに腰掛けて、息を整えた。寒さで体が震えてくるが、再び眠ることはできそうになかった。どうしたらいい。敏子は初めて怖ろしいほどの孤独を感じた。

ふと顔を上げると、テレビの真ん中に小さなオレンジ色の光が灯《とも》っていた。まるで、テレビの中で誰かが煙草を吸っているようでもある。敏子は思わず問うた。

「ねえ、そこにいるの？」

光はすぐに消え去った。見間違いだったのだろうか。しかし、敏子は夫が自分を見守っているから、と信号を送ったのかもしれないと思った。そうとでも思わなければ、生きていけそうにもない。

第二章 夫の秘密

「伴侶《はんりよ》と死に別れる辛《つら》さって、経験した者じゃないとわからないわよね、敏ちゃん。さぞ、お力落としでしょう、とか皆言うけど、誰も本当のところはわかってないのよ。何がどう、力落としかというと、これから歳《とし》を取っていくというのに、全部一人でやっていかなきゃならないのか、という脱力感ね。違う？ そうでしょう。その立て直しにすごく時間がかかるのよ。一種のプロジェクトと考えた方がいいわ」

山田栄子が煙草《たばこ》の煙を吐き出しながら、力説した。敏子は、うんうんと声に出して頷《うなず》きながら聞いている。その通りだと思ったが、今の自分には栄子のように先行きを心配する余裕はない。ましてや、プロジェクトなどとは考えられなかった。夫が突然この世から消えたことが理不尽でならず、まだ悲しみの渦中《かちゆう》にあった。

「私は、そこまで考えられないの」

「そりゃそうよ。そうでなかったら、おかしいわよ」

自分で言っておいて、栄子はあっけなく敏子に同意した。反論するにも、精一杯の努力を必要とする敏子は、栄子の素早い変わり身に気が抜ける。

栄子は、四十代で夫を亡《な》くし、以後一人で暮らしている。子供はいない。元々資産家の娘なので、夫の死後も貸しビル業や株の売買で儲《もう》けているという噂《うわさ》だった。が、詳しくは知らされていなかった。

栄子は、ブランド物らしい豪華な黒のスーツに、大玉の南洋真珠のネックレス、というパーティにも出られそうな服装だった。髪もオレンジがかった茶に染めて、若く見える。敏子は、みすぼらしくて狭い居間に、派手な栄子を迎えることが申し訳なく思えた。

栄子には、フラダンスを習ったり、ヨガに凝ったり、流行のものならいち早く手を付ける積極さもある。いつも自分を後回しにして考えてしまう控えめな敏子が、最も苦手とするタイプの一人だった。

葬儀のひと月後、山田栄子、西崎美奈子、江守和世の三人が打ち揃《そろ》ってやって来たのだった。三人とも、敏子の高校時代の同級生である。

結婚してからしばらくは年賀状の交換程度の付き合いだったが、子育ての一段落した四十代半ば過ぎに再び交流が始まった。今では、ひと月に一回会って食事をしたり、年に一度、温泉旅行をする仲だ。三人は敏子を慰めようと、訪問する頃合いを見計らっていたらしい。

「時間が経《た》てば経つほど寂しいんでしょうね」

美奈子が、気遣うように敏子の顔を見た。

美奈子は黒のタートルネックのセーターにグレイフラノのパンツという地味な出《い》で立ちだった。定年退職した夫は第二の職場に勤務し、三十代の娘二人と息子一人はまだ結婚していない。

山のような家事をこなす美奈子は、人一倍、家族思いだ。その癖、考え方は合理的で、利殖にも長《た》けていると聞いた。敏子が常に意外な思いをさせられる人間でもあった。しかし、夫に従っていこうという生き方は同じだから、三人の中では一番仲が良い。

「そうなの。でも、あの人が死んだって実感がなくてね。今にも、『ただいま』って帰って来るんじゃないかと思って、夕方なんか不思議な気持ちになるわ」

敏子は、消してあるテレビの画面を眺めた。何度、こうして見たかわからない。テレビに灯《とも》るオレンジ色の光を見て以来、あの中に夫がいるような気がしてならないのだった。馬鹿《ばか》にされそうだから、誰にも言ってはいないが。

「それにしたって、あんなにお元気そうだったご主人が心臓麻痺《まひ》だなんて信じられないわね。あたしが電話すると、必ず世間話してくれてね。お元気ですかって、聞いてくれて。優しい人だったわよね」

和世が、紅茶茶碗《ぢやわん》をそっと皿に置いた。和世と美奈子はしめやかに目を伏せた。

「あたしたちも、いつ死ぬかわからないわね。しみじみそう思うわ」

栄子が猪首《いくび》を竦《すく》めた。栄子は中年太りで、血圧が高いのを気にしているのだが、一向に体重は減らない。

「よく言うわよ。あなた、ホセ様に会うまで死ねないって言ったじゃない」

和世が栄子の腕を軽く叩《たた》いた。気軽に人の体に触れるのは、和世の癖だ。気の置けない、明るい人物。和世は、人一倍お洒落《しやれ》でもある。今日は、イッセイミヤケの、細かいプリーツ地の黒のパンツスーツを着ていた。

和世はあまり語ろうとしないが、一人息子はハワイの大学を出た後、タイに行ってしまって実家に寄り付かないらしい。だから、和世は二歳年下の夫と、夫婦二人の気《き》儘《まま》な生活をしている。

最近、自宅の一階を改装して店を始めたばかりだ。和世が選んだ服やアクセサリーを置いてある小さな店は、セレクトショップとかいうらしい。「一度見に来て」と言われて行ったことがあるが、敏子にはとても手の出ない高い品物ばかりだった。

「あら、あたし、ホセ様には何度も会ってるわよ。この間のコンサートじゃ、あたしと目が合ったらウィンクしてくれたんだから」

栄子が唇を尖《とが》らせた。栄子は、スペインのオペラ歌手、ホセ・カレーラスの大ファンだ。後援会に入り、財力に物を言わせて、世界中を追い駆け回している。

「目にゴミが入っただけじゃないの」と和世。

「栄ちゃんが老眼で見間違っただけよ」

美奈子がクールな物言いで水を差し、三人は控えめに笑った。

敏子は微笑《ほほえ》んで三人の話を聞いていたが、友の充実や幸せが伝わってきて、切なかった。毎夜、後悔や虚《むな》しさ、悲しみに囚《とら》われて、よく眠れないのだ。しかし、こうして雑談をしていれば、自分だけがなぜ、と孤独感がいや増す一方で、友の慰めが嬉《うれ》しくもあった。

「敏ちゃん、少し痩《や》せたよね」

美奈子が、敏子の茶碗にポットから紅茶を注いでくれた。家事労働がきついことを表す、荒れた手をしている。敏子は混ぜっ返した。

「これで太ったらおかしいじゃない」

「そうよね」三人が静かに同意する。

「ねえ、お葬式の時に横にいたの、彰之ちゃんでしょう。立派になったわね。あの子が小学生の時にうちに連れて来たことあったわね。外で転んで泣いて」

和世が持参したクッキーを一枚摘《つま》んだ。世田谷の有名な店で買ったのだという。

「あったわね、そんなこと」

和世の一人息子が彰之と仲良く遊んでくれたので、その間、母親二人はお喋《しゃべ》りに興じていられたっけ。和世の一人息子は彰之と違って優しい子だった、と敏子が思い出していると、栄子が聞いた。

「彰之ちゃん、今アメリカなんですって？　アメリカのどこ」

「ロスよ」

「あら、いいじゃない」

何がいいのだろう、と敏子は栄子の顔を見た。栄子は何気なく付け足した。

「遊びに行けてさ」

「一度も行ったことないわ。誘われないし、そんな余裕もないみたいだったし」と、敏子は浮かない顔をした。

四十九日の納骨の際、彰之は、一家だと金がかかるので一人で帰国すると電話で知らせてきた。その際、ついでに遺産相続の話をしたいという。しかし、遺産などと取り立てて言うほどのものでもない。

老後のための預貯金一千万近くと、生協で掛けた保険金一千万、そして三十坪の我が家。それを三人で分配したい、と言われても、僅《わず》かな蓄えをなくすことも、家を失うこともできない。敏子はまだ五十九歳。あと何年生きるかわからないのだから。

敏子の目下の悩みは彰之の提案だった。その愚痴《ぐち》をちらりと洩《も》らすと、栄子が我がことのように息巻いた。

「反対しなきゃ駄目よ。あなたはまだ先が長いんだから、お金は絶対に必要よ。年金だけじゃ、ちっとも楽しくないから」

「わかってるわ。私、栄ちゃんみたいにお金持ちじゃないもの」

「あたしは別に金持ちじゃないわ。子供がないから、身軽なだけ」

栄子はさばさばと言い放ち、金のカルティエのライターで二本目の煙草に火を点《つ》けた。

「でも、あなたはそう言うけど、息子さんにも娘さんにも相続の権利はあるのよ。それをどう説得するか、よ」

美奈子が冷静に言って、ちらりと遺影に目を遣《や》った。その眼差《まなざ》しに、隆之を非難する色があるのを、敏子は感じた。美奈子たち夫婦は、先行きまで考えてきちんと手を打っていそうだ。

「とにもかくにも諦《あきら》めさせるのよ。それっきゃないわよ」と栄子が乱暴に断じる。「まだ若いんだから、自分で作りなさいって。夫婦で作った財産は夫婦で遣うしかないのよ」

しかし、強引な彰之が引き下がるだろうか。敏子は憂鬱《ゆううつ》でならない。彰之が権利を主張すれば、当然、美保も負けてはいないだろう。美保は美保で、十年間両親をほったらかしていた彰之が今更そんなことを主張するなんて、と喧嘩《けんか》腰になるに違いない。

確かに、敏子が盲腸で手術したり、隆之がバイクに引っ掛けられたり、この十年はささやかながら、いろいろあった。その時に頼れたのは、ひとりっ子同然となった美保ではなかったか。それにしても、法定相続だと妻の取り分は半分と聞いたが、この狭い家を半分にすることはできない。

「ねえ、敏ちゃん、半分はあなたの名義にして貰《もら》わなかったの」

キッチンに水を汲《く》みに行った美奈子が戻って来て尋ねる。敏子は首を横に振った。隆之はそういうことに疎《うと》かった。「夫婦二人で贅沢《ぜいたく》しなけりゃ、年金生活で何とかできるだろう」とのんびりしていた。つまりは、敏子も疎かったということだ。

敏子は溜息混《ためいき》じりに、居間の調度を眺めた。ソファもテーブルも、新婚当時に買った安物で、すべて古びている。彰之が小学生の頃に付けた傷や、美保がシールを貼《は》った跡もそのままだ。壁紙も汚れたし、キッチンも新しい設備が欲しかった。いっそ、売ってしまって、文句の出ないように法定相続で分けた方がいいのだろうか。そしたら、自分はどうする。

「何考えてるの」

和世が敏子の腕に手を置いた。

「家を売って、子供と分けちゃおうかなって」

「売れない、売れない。今、不動産は売れないわよ。どうせ上物は古いから無価値だし。あ、ごめん」

言い過ぎたと思ったのか、栄子が慌《あわ》てて手を振った。

「敏ちゃんの住むとこ、どうするのよ。そんなに簡単じゃないわよ」美奈子が遮《さえぎ》った。「今ね、アパートだって老人の一人暮らしには貸したがらないんですって。自分の身は自分で守るしかないのよ」

「現実って、厳しいのね」

敏子は浮かない顔になった。悲しみの最中《さなか》に、こんな面倒があるとは。

「厳しいわよ」

美奈子が重ねて言った。和世は、その手の話題が苦手なのか、俯《うつむ》いて自分の爪《つめ》を眺めている。爪先は綺麗《きれい》なパールピンクに塗られていた。

「ともかく、息子さんには待て、と言わなきゃ駄目よ。お母さんは少し考えたいからって言って」

栄子が同意を求めるように、美奈子と和世を見回す。三人は頷き合った。だが、彰之は東京に戻って仕事を立て直したいのだろう。せめて、彰之の仕事が成功していれば問題ないのだが、あの様子ではせっぱ詰まっている。どうしたらいいのだろう、と敏子は暗い気持ちになった。

玄関のインターホンが鳴った。気の利《き》く美奈子がいち早く立ち上がった。はい、どちら様でしょうか、と答えた後、敏子の方に振り向いた。

「ねえ、敏ちゃん。今井さんて方が、お線香を上げたいって、いらしたわよ」

もしかすると、蕎麦《そば》打ちの師匠の今井のことだろうか。面識のない敏子は急いで玄関に向かった。

表に、六十代後半と思われる老人が立っていた。長身で、姿勢が良い。茶色の縁の眼鏡を掛けていた。今井は現れた敏子を見てお辞儀をした。

「奥様、この度はご愁傷さまです。ご葬儀の時は、お取り込みだろうと思いまして、ご挨拶《あいさつ》いたしませんでした。今井でございます」

隆之が倒れた日、最後に立ち寄ったところが、この今井の蕎麦打ち教室なのだ。敏子はかねがね、今井に一度会って、隆之の最後の日の様子をじっくり聞いてみたいと思っていたので、今井の訪問は有難かった。

「わざわざ恐れ入ります。主人が生前、大変お世話になりまして、本当にありがとうございました」

今井はくすぐったそうな表情をして、人差し指で眼鏡を持ち上げた。髪は真っ白だが、顔には皺《しわ》ひとつなく、若々しい。目にも力が漲《みなぎ》っていた。

「どうぞ、お入りくださいませ」

今井は、三和土《たたき》に揃えられた女物の靴があるのに気付き、敏子に問うた。

「お客様ですか」

「はい、でも構いませんので、どうぞ」

今井は悪びれずに、「それでは」とコートを脱いだ。下は、茶系のジャケットに灰色のズボンという地味な格好だ。

敏子は今井の気遣いに感心した。隆之なら、他の客の靴など全く目に入らないだろう。さすが師匠となる人は違う、と思った。『今井さんは、何をやってもうまい』と隆之がしきりに今井のことを褒めていたのを思い出す。

居間に足を踏み入れた今井は、三人の先客を見て驚いた様子だった。三人もいるとは思わなかったらしい。が、その目には喜色がある。

「これはこれは、お邪魔して申し訳ございません」

三人の元同級生は立ち上がって、愛想良く、しかし慎《つつ》ましやかに今井を迎えてくれている。

「とんでもございません。この度は、わざわざありがとうございます」

こういう場合、代表者然としてしまう栄子が、そつなく礼を述べた。美奈子は素早くキッチンに向かって、お茶の用意をしに行った。和世は目を伏せて黙っている。

敏子は祭壇の前に今井を案内した。今井は正座するなり、持参した百貨店の紙袋からバリバリと音をさせてポリの入れ物を取り出した。中に薄茶色した蕎麦がたっぷり入っている。今井は大声で言った。

「関口君。君の好きな十割蕎麦だよ。君のために打ってきた。存分に食べたまえ」

口調がやや芝居がかっているとは思ったが、敏子は、あの日の隆之が『初めて十割蕎麦がうまく打てた』と喜んでいたことを思い出し、涙ぐんだ。

「奥様、この度は誠にご愁傷様です。さぞや、お力落としのことでしょうが、早く立ち直っていただきたいと思います」

線香を上げた今井が敏子に向き直り、力を籠《こ》めて言った。

「関口がどんなにか喜びますことか」

敏子はハンカチで涙を拭《ぬぐ》い、祭壇に捧《ささ》げられた蕎麦を見つめた。

隆之が蕎麦教室に通い始めたのは、退職してからだった。最初は通勤途中の駅前にあった製粉会社の蕎麦打ち教室に通い、そこで知り合った今井の自宅で開かれている教室に移ったのだ。

今井は玄人《くろうと》はだしで、道具も一流の物を揃えているし、北海道に蕎麦畑も買ったという話さえあった。店を開いてもおかしくない相当な腕前で、今井の蕎麦を食べたい、と個人の注文も来る、と聞いた。

しかし、隆之は不器用でなかなか上達しなかったようだ。たまに持ち帰る打ち立ての蕎麦は旨《うま》かったが、ぼそぼそ千切れるし、太さも一律ではなかった。自宅では打ちたくないのか、道具も揃えようとはしなかった。

「あのう、関口は今井さんのところでも、駄目な生徒だったんでしょうか」

「いや、そんなことはありません」

今井は唇を噛《か》んで空《くう》を睨《にら》んだ。天井の染《し》みが目に留まらないか、と敏子ははらはらする。夫の突然の死によって、みすぼらしい自宅が俄《にわか》に人目に晒《さら》されることになってしまったのが悲しい。

今井は、それが癖なのか、また眼鏡を指で押し上げた。

「関口君は、しかし、豪快で男らしい蕎麦を打ちましたよ。僕は好きでした」

栄子が居間から二人に声をかけた。

「お茶が入りました。どうぞ」

「お時間がありましたら、召し上がってください。いろいろ伺いたいこともございますので」

敏子は思い切って頼んだ。今井は、話好きらしく、嬉しそうだった。

「喜んで。私でよければいろいろお話しいたしましょう」

「さあ、真ん中にお座りくださいましな」

栄子がいつもより半オクターブ高い声を出す。

「レディファーストですよ。僕はここで結構です」

今井は居間のソファに座ろうとせず、椅子《いす》が足りないからと、美奈子がキッチンから運んでくれたダイニング用の硬い椅子に強引に腰掛けた。そして、好ましそうに女たちをひと渡り眺め回した。今井の視線は、美奈子を素通りし、栄子に仰天したように一瞬止まって観察し、和世のところで落ち着いた様子だった。

「奥さんのご友人ですか」

今井は和世から目を離さずに聞いた。

「高校時代からずっと仲良しですのよ」

栄子が気取って答えた。美奈子が目を逸《そ》らせたのは、こういう時の栄子をあまり好きではないからだろう。

「それは素晴らしいことですよ。僕は奥さんがお一人でどうしておられるかと心配でならなかった。居ても立ってもいられなくてね。でも、皆さんが付いておられれば、奥さんもお寂しくはないでしょう」

「やはり寂しいです」

敏子は思わず正直に言ってしまった。今井は動ぜず、眼鏡を押し上げてもっともらしく首肯した。

「そうでしょうともねえ。長年、連れ添った伴侶の死は悲しいことです」

「今井さんはお幾つですの」

栄子が煙草《たばこ》の箱をそっと後ろに隠して尋ねた。

「僕は来月で六十九になります。来年は古稀《こき》です」

「見えないわー」

栄子が大袈裟《おおげさ》に目を剝《む》いてみせた。

「ほんと、お若いですわね」

女たちが口々に世辞を言うのを、今井は表情を変えずに聞いている。言われ慣れているのだろうが、厭味《いやみ》ではなく、逆に素直に見えた。

「お仕事は何でしたの」

質問者は常に栄子だったが、栄子がいるからこそ、皆の好奇心が満足するのだ。おとなしい敏子はそんなことを思いながら黙っていた。

「僕、何に見えますか」

今井が和世に向かって尋ねた。和世は急に聞かれたので口籠《くちご》もった。先生に突然当てられた生徒のようだ。

「さあ、俳優とかですか。まさか、違いますよね」

皆が微笑んだ。確かに今井には、老人タレントのように身綺麗なところがある。今井は愉快そうだった。

「僕は元銀行マンて奴《やつ》です。だから、投資なんかのアドバイスはお手伝いできますよ」

あら、と栄子が目を輝かせ、堅実な美奈子がややうんざりした顔をする。

「あのう、今井さん。主人が亡くなった日のことなんですが」

とうとう敏子は切りだした。

「あの日、関口はどんな様子だったのでしょうか。私、どうしてあの人の異変に気付いてあげられなかったのだろうと、申し訳なく思ってるんです」

皆がしんと項垂《うなだ》れた。今井は何かを思い出すように考え込んでいる。

「失礼ですが、奥さん。関口君はここんとこ、うちにはいらしてませんよ」

敏子は意外な思いで今井の顔を見上げた。今井はジャケットの内ポケットから黒い革表紙の手帳を取り出して眺めている。

「関口君が亡くなったのは二月五日でしたね。しかし、今年は一度も見えておられません。昨年も五、六回でしたかなあ」

隆之は週に一度は蕎麦打ち教室に通っていたはずだ。どういうことだろうか。敏子は訳がわからなくなった。

「隆之さん、亡くなった日は、蕎麦打ち教室に行ったって、言ってたわよね」

美奈子が不審な面持ちで、敏子に尋ねる。

「ええ。今日は十割蕎麦がうまく打てて、師匠の今井さんに褒められたって嬉しそうに言ってたのよ」

「何かのお間違いだと思いますよ。五日は、四名。塚本、小久保、辻、鈴木の四名ですから」

今井は怪訝《けげん》な顔をした。手帳にきちんと出席者の名前も記してあると見える。

「じゃ、主人はどこに行ってたのでしょう」

嘘《うそ》まで吐《つ》いて、と続く言葉を呑《の》み込んで、敏子は遺影を見た。隆之は、明るい笑顔で屈託なく笑っている。

「どこに行ってたっていいじゃない。ご主人にも秘密のひとつくらいはあるわよ」栄子がとうとう隠していた煙草の箱から、一本摘み上げた。「誰にだってあるんだもの、気にしては駄目よ」

敏子は低い声で問い返した。

「誰にだって何があるの」

「秘密ってヤツよ」

答える栄子は、さすがに遠慮気味だった。

「気にしないなんて無理よ。だって、私は自分を責めているんだもの」

敏子は自分が暗い表情をしているだろうと思いながらも、言葉を止められなかった。

「奥さん、奥さん」今井が呼びかけた。「きっと、関口君は僕の教室に来にくかったんですよ。彼はね、正直言うと、あまりうまくなかった。上達も遅かった。だから、行く気はあったんだけど、来るのが嫌で、公園をひと回りして時間を潰《つぶ》していたんですよ」

「さっきは『豪快で男らしい蕎麦だった』と仰《おつしや》ったじゃないですか」

敏子は叫んだ。隆之に騙《だま》されたような気がして堪《たま》らなかった。

「敏ちゃん、今井さんは気を遣ってくださったのよ」

美奈子が取りなしたので、さすがに敏子ははっとした。栄子は目を丸くして敏子を眺め、和世は困惑したのか、横を向いている。普段おとなしい敏子が、自分の感情を剝き出しにしたせいだった。敏子は恥じ入った。

「ごめんなさい。私、どうしたんでしょう。今井さん、申し訳ありません」

敏子は今井に陳謝した。今井は両手を膝《ひざ》の上に置き、ゆっくりと首を振った。

「いやいや、奥さん。気にしないでいいですよ。取り乱して当たり前じゃないですか。平然としている方がおかしい。誰もあなたを責めたりはしません。僕は関口さんの蕎麦を豪快で男らしい、と思っています。ただ、あの日はいらっしゃらなかった。誤解を生じるようなことを言って、すみません」

「失礼しました」

敏子は自分が人前で感情を爆発させたことが意外でならなかった。いつもだったら、理不尽な目に遭っても我慢するか、自分の方が間違っているかもしれない、と内省してしまうのに。それも、葬儀の席上で顔をちらりと見ただけの、初対面同然の今井に向かって声を荒らげてしまったのだから、居心地が悪かった。自分という人間が崩れてしまったような気がする。敏子は両手を頰《ほお》に当てて独りごちた。

「私、変よね」

「敏ちゃん、疲れているのよ」

和世が優しく労《いたわ》った。栄子もしおらしく煙草を消しながら低い声で言う。

「あたしもそうだったわ。うちの亭主はガンだったから、覚悟はしていたんだけどね。それでも、生きてるのと死んでしまったのとでは大違いよ。このこと相談しなくちゃと思った瞬間に、ああ死んでしまったんだと思い出してさ。たちまち現実感がなくなって、訳がわからなくなる。それも、後から来るのよ。だから、敏ちゃんの状況はよーくわかる。あなた、休まなきゃ駄目。だってね」

まだまだ続きそうな栄子のお喋りを遮って、美奈子が祭壇に向かった。

「あら、お線香が消えちゃうわ」

今井が上げた線香が消えかかっていた。美奈子は新しい線香に火を点け、手を合わせた。

「ありがとう、美奈ちゃん」

急に緊張が解けて敏子は肩を落とした。それでも、疑問は消えなかった。あの日の隆之は、「十割蕎麦をうまく打てた」と何度も言った。どうして嘘を吐く必要があったのだろうか。

「奥さん」今井が敏子に話しかけた。「さっき、ご自分を責めてる、と仰いましたよね。遺《のこ》された者はみんなそう考えるんです。でも、いつまでも囚われていてはいけませんよ」

はい、と敏子は素直に答えたが、幼い子供に諭すような今井の口振りが気になった。そんなに私は子供っぽい人間だと思われているのかしら。すべてに自信がなくなっていた。自分が糸の切れた凧《たこ》になって、あてどなくどこかに飛んで行ってしまうか、失速しそうな、不安な気分だった。地上で自分の糸を引いていたのは誰だろう。隆之だったのか。

普段の生活の中にこんな不幸な出来事が潜んでいる、なんて考えもしなかった。恙《つつが》無《な》い日常が当分の間、続くと考えていられた、自分の根拠のない安心感こそが凧の糸を操る手元だったのだろう。考えに耽《ふけ》っていると、今井の声がした。

「ご自分を責める必要なんてありません。ご主人が亡くなられたのは天命です」

「でも、私は妻なのに、主人の体調の変化を気付いてやれなかったんですよ。数日前から、主人は物が見えにくいと訴えてました。手足が少し痺《しび》れるなんてことも言ってたし、その日も何度も同じことを繰り返して言って。その時、おかしいと思ってたのに、私は何もしなかった。もっと注意してれば、急死は避けられたかもしれないのに」

涙が溢《あふ》れてきて、敏子は握り締めていたタオルハンカチで目許《めもと》を拭った。隆之が死んでからというもの、ハンカチは手放せない。和世が背中を擦《さす》ってくれた。

「奥さん、僕も妻を亡くしました」

敏子は今井の言葉に顔を上げた。今井が腕組みして、目を瞑《つむ》った。軽薄な老人モデルに見えないこともなかった今井が、貫禄《かんろく》ある人生の大先輩に思えるから不思議だった。伴侶を喪《うしな》うという深い悲しみを経験した人が、この狭い居間に三人もいるのだ。

「まあ、いつですの」

栄子が身を乗り出した。

「はあ。去年が七回忌でしたから七年前ですか。妻は脳梗塞《こうそく》で倒れて、三年寝たきりでした。僕は銀行勤めだったので、忙しくて妻を構ってやれなかった。だから退職後は二人で楽しもうと思った矢先の出来事でした。さあ、これから、という時が一番危ない。人生には魔が潜んでいるんです」

「三年も寝たきりでいらしたんですか。それは大変でしたわね」

「奥様、まだお若かったんですね」

同情したらしい和世と美奈子が口々に言った。

「享年《きょうねん》五十九歳でした」

「まあ、私たちとおんなじ」和世が三人を見回して首を竦めた。「私たちだって、いつ何時《なんどき》か、わからないわね」

今井が好ましそうに和世の反応を眺めた。

「僕が蕎麦打ちに夢中になったのは、旨い蕎麦を打って妻に食べさせたい、と願ったからですよ。一生懸命、打ちました」

「まあ、奥様、お幸せでしたわね」

和世がからかった。今井は照れ笑いする。

「いやいや、そんなことはないです。一番辛いのは当人ですから。いつも言ってましたよ、迷惑かけてごめんねって。それがあっけなく肺炎で亡くなってしまったんですから、わからないもんです」

今井が眼鏡を指で押し上げた。今井の言葉に、女たちは黙った。いつの間にか、隆之の話が、今井に移っていた。

少し冷えてきたので、敏子は電気ストーブを点けた。栄子が敏子の顔を覗《のぞ》き込んだ。

「敏ちゃん、あなたは何を気にしてるのよ」

返事を聞こうとばかりに、今井と美奈子、和世がこちらに向き直った。敏子は視線を浴びて戸惑った。率直な栄子がまたも「さあ、話してみてよ」と促した。

「私に嘘まで吐いて、あの人はどこで何をしてたのかしら、と気になって仕方がないの。主人が人生最後の時間をどう過ごしていたのか、知りたい。だって、今井さんにお目にかかるまで、私は気付くのが遅れたからあの人を死なせてしまったと後悔していたの。でも、ちょっとは救われてるところもあった。最後の日に、念願の十割蕎麦をうまく打てて良かった、少なくとも蕎麦打ちでは満足して死んだのはせめてもの慰めだってほっとしていたんですもの。だから、蕎麦打ち教室に行ってなかったと聞いたら、混乱するわ」

「根底から覆《くつがえ》された、という訳ですな」

今井が顎《あご》に指を当てて考えている。

白いシャツはクリーニングしたてらしく、皺ひとつない。身だしなみの良い今井だが、茶のウールのジャケットの袖口《そでぐち》が擦り切れている。

「つまり、敏ちゃんは、あの日のご主人の行動を知りたいのね」

美奈子が真剣な面持ちで尋ねた。

「勿論《もちろん》よ。だって、夫が人生最後の日に何をしていたのか知りたくない妻なんているかしら。知りたいに決まってるじゃない」

「あたしは、知りたくないな。人間なんだから、何が出てくるかわからないじゃない。あ、ご主人がそうだっていう意味じゃないわよ。だけど、ご主人だって知られたくないことがあるかもしれないでしょう。すべてをあからさまにすることがいいとは思えないんだけどな」

美奈子が控えめに言う。

「そうね。思い出を汚《けが》すこととか、主人を信じられなくなるようなことなら、あたしも一生知らなくていいな」

和世が美奈子に賛成した。それはまだあなたたちの夫が健在だからだ、と敏子は内心で思ったが黙っていた。

「奥さんのご主人は何をなさってるんですか」

今井が身を乗り出し、和世への好奇心を隠そうとせずに聞いた。

「宅はまだ会社勤めしております。少し年下なもので」

和世の夫はまだ五十七歳だ。現役と聞いて、今井は少し残念そうな顔をした。

「それはいいですな」

「いいえ、主人は早くリタイアして、のんびりしたいと言ってます」

「それはそうでしょう。綺麗な奥さんがいるんだから」

今井がさも羨《うらや》ましげに言ったので皆が苦笑した。どうやら、今井も美奈子も和世も栄子も、ここにいる全員が、隆之の話題を避けたがっているらしい。敏子の夫婦問題やプライバシーにまで関わりたくはないのだろう。

敏子は孤独を感じて、窓から暮れゆく空を眺めた。三月初めの夕空はどんよりと曇り、近くでカラスがうるさく鳴いていた。

不意に、伊藤という名の女性から隆之の携帯に電話がかかってきたことを思い出した。伊藤は隆之と付き合っていたのだろうか。この思い付きは青天の霹靂《へきれき》だった。到底、信じられなかった。しかし、敏子の心は意外な速度で、あれこれと不信の証拠を挙げ始めるのだった。蕎麦打ち教室は毎週木曜にあるが、隆之はやけにお洒落をして出かけていなかったか。

　年に二、三回ある同期会の温泉旅行に隆之は必ず出席していたが、会の写真を見せてくれたことはなかった。また、携帯電話を敏子に使わせなかったし、その辺に放り出したりすることもなかった。

　疑惑はいくらでも湧《わ》いてきた。放心していた敏子に、美奈子が声をかけた。

「敏ちゃん、お夕飯の支度しなくちゃならないから、あたしもう帰るわね」

　敏子は我に返り、壁の時計を眺めて誤魔化《ごまか》した。午後四時半だった。だが、それどころではない。黒い疑念に塞《ふさ》がれて、憂鬱でならなかった。あの日、隆之はどこに行って何をしていたのだろうか。

　そわそわする美奈子に釣られて、他の客も一斉に立ち上がった。和世が服のプリーツの皺を伸ばしながら、遠慮がちに誘った。

「敏ちゃん、うちに来ない？　今日は主人が遅いから、良かったらお夕飯一緒に食べましょうよ」

　嬉しかったが、和世の家は世田谷にあって遠い。これから一緒に出たとしても、夜、真っ暗な我が家に一人で帰って来るのは侘《わび》しかった。比較的家が近いのは、同じく都下に住む美奈子だが、家族が多いから、誘われたとしても、つい遠慮してしまう。美奈子もそれを知ってか、誘わない。美奈子はそういうところが冷たいというか、合理的なのだった。美奈子が心配そうに聞いた。

「あなた、一人で平気?」

「何言ってるの。子供じゃないのよ」

強がってはみても、今井の暴露は敏子を激しく落ち込ませていた。そうでなくても、夕暮れ時になると気持ちが沈み、今頃はスーパーで買い物していた、米を研《と》いでいた、と夫婦二人の夕餉《ゆうげ》を用意していたことを思い出し、居ても立ってもいられない気分になるのだった。特に今日など、友人が集まってくれて楽しく賑《にぎ》やかだっただけに、家に一人で残りたくはなかった。敏子は気もそぞろに腰を浮かせた。しかし、どこにも行く当てはないのだった。

「奥さん、近いうち、また様子を見に伺います」

今井が敏子の目を捕らえて言った。老眼鏡の奥の目が大きく見えて、気味が悪かった。

「今日はありがとうございました。関口も喜んでいると思います」

答える端から、嘘吐き、蕎麦打ち教室に行った振りして、と死んだ隆之を詰《なじ》っている自分がいる。だが、いくら詰ったところで、死んだ者は答えてはくれない。

「奥さんも蕎麦を打ってみたらどうですか。いいストレス解消になりますよ」

今井は粉を捏《こ》ねる手付きをした。

「敏ちゃん、二人でお食事行こうか」

栄子も誘ってくれたが、苦手な栄子と二人きりでは気詰まりな気がして、どうしてもその気になれない。

「ありがとう。でも、頑張るわ。これからずっと一人でやってかなくちゃならないんだもの」

栄子は肉厚の手で敏子の背中を軽く叩いた。

「でもさ、あんまり頑張らない方がいいって。疲れるから」

口々に悔やみを述べて客が帰った後、敏子は、急にしんとした居間で、しばらく立ち竦んでいた。やがて決心して、小引出しに仕舞ってあった隆之の携帯電話とマニュアルを取り出した。伊藤からメールが来ていないか、調べてみるつもりだった。今まで、夫の不義など一回も疑ったことがないだけに、怖いものを覗く怯《おび》えもあったが、どうしても知りたい気持ちを抑えられない。

美奈子や和世の言うように、知らない方が幸せなのかもしれない。しかし、夫が自分を欺《あざむ》いてまで何をしていたのか、妻の自分が何としても知らねばならないという義務感もある。いや、底にあるのは、怒りかもしれなかった。

敏子は老眼鏡を掛けてマニュアルを熟読し、携帯電話を操作してみた。自分は持っていないが、以前、隆之が説明してくれたのを覚えていた。

着信と発信の記録に残っているのは、ほとんどが自宅と伊藤の名前だった。伊藤と夫は、ほぼ一日おきぐらいに連絡を取り合っている。が、メールは全部削除されていた。それも不自然に思えた。

いっそ伊藤に電話して、隆之との関係をもっと詳しく尋ねてみようか。いや、そんなことはできない。しかし、携帯以外に伊藤に連絡する術《すべ》がない。敏子は携帯電話を手にして躊躇《ためら》っていた。

その時、家の電話が鳴った。栄子からだった。

「敏ちゃん、あたし栄子です。さっきは長々とお邪魔してすみませんでした。今、家に着いたところなの。ご飯は食べた？」

「まだよ。支度もしていない」

敏子は窓から夜空を仰ぎ見た。窓にカーテンを引くのも忘れて、隆之の携帯電話をいじっていたのだ。すでに六時を回っている。

それにしても、栄子は何の用だろう。敏子は首を傾《かし》げた。栄子に連絡するのはいつも美奈子や和世だった。たまに栄子から電話があっても、喋る栄子に圧倒されて、会話は弾まないのが常だ。

「あたし、あなたのご主人が亡くなってショックだわ。いい人だったのにね。今、あなたの気持ちが一番わかるのはあたししかいないと思う。未亡人同士、これから仲良くしようね」

「ありがとう。ほんと嬉しいわ」

栄子の何分の一かしか、答えられない。多弁でせっかちな栄子が、敏子の言葉に被《かぶ》せるように喋りだすからだった。

「敏ちゃん、あたしが電話したのは、皆が反対した例のことについてなのよ。ほら、ご主人が蕎麦打ち教室に行かないで何をしていたかって話。あたしは、知りたいと思うあなたが絶対に正しいと思う。だから電話したのよ」

栄子は早口に言った。敏子は先程の違和感を思い出している。美奈子も和世も、隆之の行動への詮索《せんさく》をやめさせようとした。しかし、これは果たして詮索なのだろうか。

「ねえ、栄ちゃん。これって詮索じゃないわよね」

敏子はテーブルの上に置いてある携帯電話を眺めて尋ねた。

「違う違う。詮索じゃない。とても大事なことよ。だって、死んだご主人をもっと知りたいって、気持ちの表れでしょう。あたしだって、主人が死んだ後にいろいろあって、その時は苦しい思いをしたけど、それも主人という人の姿なんだって考えたの。そうしたら、すごく楽になったの。あなたも真実は知るべきなのよ。でなきゃ、一生苦しむと思うわ。ご主人を謎《なぞ》の人物のままにしたくないでしょう」

そうかもしれない。栄子は常に自分のことしか言わない、と内心辟易《へきえき》することもあったが、率直な分、信用はできる。

「じゃ、言うわ。実はね、お葬式の日に主人の携帯に電話がかかったのよ。伊藤さんという女の人からだった。なかなか話しださないので、私から亡くなったことを伝えたら絶句してね。びっくりした様子だった。一度お参りに行きたい、と言って切ったの。何かぴんときた。その人と会ってたんじゃないかと思っているの」

「間違いないわね」

即座に、栄子は断じた。

「私、どうしたらいいかしら」

「伊藤さんとのことを知りたいんでしょう?」

そうだ。知りたいのだ。敏子は頷いた。伊藤という女は何をしている人で、隆之といつ知り合って、どんな関係だったのか。そして、隆之は伊藤の目から見て、どういう男だったのか、を。それが隆之を喪った深い悲しみから逃れる、唯一《ゆいいつ》の道に思えるのだった。

「その通りよ」

敏子はきっぱりと答えた。

「ご主人の携帯から電話してみたら。それから、会うのよ。その人だって、何かあったのなら堪らない気持ちだと思うわよ。あなたに会わなくては、ご主人にお参りもできないんだから」

「わかった。これからしてみるわ」

敏子は勇気を得て、電話を切った。テーブルの上から携帯電話を取り、祭壇の前に座った。遺影の中から、隆之は笑顔をこちらに向けている。あなた、私の知らないあなたがいたの？　伊藤さんに電話しますよ、いいですね。敏子は遺影に話しかけた。

それから、思い切って伊藤に電話した。

「はい、もしもし。どちら様ですか」

か細い女の声がした。不安そうに、窺《うかが》っている様子だ。無理もない。隆之は死んだのだから、その携帯からかかってくる電話は他人からに決まっているのだ。敏子は怖がらせたことを気の毒に思った。早く名乗ろうとして、言葉がもつれた。

「関口の妻でございます」

ああ、やっぱり、というような吐息が聞こえた。失望に聞こえなくもない。

「ご愁傷様です。先日はお取り込みのところ、失礼しました。あのう、何か」

「あの時、仰いましたでしょう。関口にお線香を上げてくださる、と」

「はい、申し上げました」

「いらっしゃっていただけますか」

「私が伺ってもよろしいんでしょうか」

伊藤はすでに涙声だった。間違いない、間違いない、と敏子の胸にも、悲しみが込み上げる。

「あなたも会いたいんじゃないですか」

「はい」伊藤は嗚咽《おえつ》した。「すみません、そうなんです」

「お話も伺いたいので、よろしければ明日はいかがですか。一週間後に納骨ですから」

遺骨があるうちに、となぜか敏子の方が焦《あせ》っていた。嫉妬《しっと》も感じない。むしろ、早く真実を知りたくてうずうずしている。

「はい、それではお休みを取って伺います。明日、何時頃がよろしいでしょうか」

「午後三時ではいかがですか」

「はい、結構です」

「家はご存じですか」

「はい、知っています」

伊藤は間髪《かんぱつ》を入れずに答え、礼を言って携帯を切った。あっけないほど、真実は単純な姿をしている、と敏子は思った。愛する人間を喪って悲しみに沈み、闇《やみ》の中で身《み》悶《もだ》えしている人間がもう一人いる、ということが不思議でならなかった。

翌日、午後三時きっかりにインターホンが鳴った。

「伊藤でございます」

電話よりも、しっかりした女の声がした。敏子は動悸《どうき》を抑えながら、玄関に迎え出た。急いで家の中を眺め、落ち度はないかとチェックする。朝から家の中を磨き立てたから、塵《ちり》ひとつ落ちていないはずだ。玄関の壁に掛かっている鏡で、自分の姿を見た。喪服のワンピースに、灰色のカーディガン。パーマの落ちた髪、憔悴《しょうすい》した自分の顔が映っている。しかし、赤い口紅を濃く付けているので、普段よりは美しいだろう。対抗心を燃やしている自分に気付き、敏子は苦く笑った。

「お待たせしました」

ドアを開けて、敏子は驚いた。白髪の女が立っていた。鮮やかなフーシャピンクの口紅を付けているが、年の頃は敏子と同じくらいか、少し上だ。姿勢は良いものの、小柄で肉の付いたがっちりした体型が、やや老《ふ》けて見える。四十代くらいの中年女を予想していた敏子は、意外な思いがして、咄嗟《とっさ》に言葉が出なかった。

「奥様、伊藤でございます。この度は、ご愁傷様です。お言葉に甘えて、伺いました。是非、お参りさせていただきたく存じます」

口舌《くぜつ》は滑らかで、敏子より、遥《はる》かに世慣れている感じがした。

「どうぞ、お入りください」

伊藤は腰を屈《かが》めるようにして玄関に入り、三和土に立った。息を吐いて、家の中を眺めている。やがて、「失礼します」と言って、伊藤は黒いロウヒールを脱いだ。真新しい靴だった。黒いストッキングから、赤いペディキュアが透けている。敏子は慌てて目を逸らした。伊藤は、自分より年上かもしれないが、現役の女だと思った。敗北感が強まり、敏子は腰が引けるのを感じた。

伊藤は長い間、祭壇の前で手を合わせ、目を固く閉じていた。何も言わなかったが、忍び泣いている様子なので、敏子はキッチンに向かった。茶菓の用意をしていると、伊藤が来て深々と礼をした。

「奥様、今日はありがとうございます。お蔭様《かげさま》で関口さんとお別れができました」

言うなり、涙が溢れてきて伊藤の頰を濡《ぬ》らした。伊藤はハンカチで目許を押さえ、嗚咽した。

「関口は幸せ者ですわね」

このようなふてぶてしい言葉が口を衝《つ》いて出るとは、自分でも思っていなかった。

敏子の言葉を聞いて、伊藤は顔を強張《こわば》らせた。

「どうぞ、お座りください。お話を伺いたいと思っておりました」

「いえ、これで失礼いたします」

伊藤の目も据わったようだ。気が強そうだ。本来ならば、相まみえるはずもない二人が、同じ部屋にいるのだ。敏子の引いた気持ちはどこかに消え、ともかく伊藤の口からすべてを聞き出したいという願いばかりが先走っていた。

「お座りになって。関口の最後の日のことを聞かせてくださいな」

伊藤は困惑したように目を伏せた。自分のどこから、このような強い言葉が出ているのだろうと不思議に思いながら、敏子は煎茶《せんちゃ》と和菓子を載せた盆を居間に運んだ。

伊藤は不承不承といった様子でソファに浅く腰掛けた。

「伊藤さん。二月五日木曜日のことですが、お話しいただけますか」

「わかりました、奥様。すべてご存じのようですから、ざっくばらんに申し上げましょう」

伊藤は茶を啜《すす》り、急にくだけた口調になった。遺影を振り返り、背を伸ばす。あんたは一人で逝《い》っちゃったけど、あたしはどうしてくれんのよ、と言わんばかりだった。

「主人とお付き合いなさってたんですか」

敏子は伊藤の働き者らしい荒れた手を見つめて聞いた。美奈子の手に似ている。が、爪には和世がしていたのと同じ、パールピンクのマニキュアが塗られていた。伊藤は、敏子の視線を感じたのか、拳《こぶし》を作るようにして爪先を隠した。

「してましたよ」伊藤はさばさば言った。「もう長いです。十年」

「十年」

敏子は思わず大きな声を上げた。女がいるとしても、たかだかこの数年のことだろうと踏んでいたのだ。十年も騙されていたかと思うと、自分はこれまで何をしていたのか、と足元が崩れる気がした。

「十年も、ですか。ちっとも気付きませんでした」

余程、悄然《しょうぜん》として言ったのか、伊藤がちらりと敏子を横目で見た。気の毒そうな色が浮かんでいる。伊藤が頭を下げた。

「本当に申し訳ありません、奥様」

「今頃謝られても」と口籠もる。

「そうですよね。関口さんは亡くなってしまったんだし、もう終わりです。長いこと、ご主人様とお付き合いさせていただきました。すみません」

捌《さば》けた物言いと裏腹に、伊藤の横顔には悲しみと寂しさが表れていた。

「主人とはどちらで知り合われたんでしょうか」

敏子は、十年も付き合っていたという伊藤の自信のようなものに気圧《けお》されていた。それは、隆之のことを自分より、よく知っているのではなかろうか、という劣等感に近い。

「シャショクです」

「シャショクって何ですか」

伊藤は、そうか、何も知らないんだ、という風に口を歪《ゆが》めた。だが、その仕種《しぐさ》は敏子を馬鹿にしたものではなく、説明しなくてはわからないじゃない、と自分の失態を叱《しか》ったように見えた。

「社員食堂のことです。私、そこで栄養士として三十年働いていました。退職したのは、ご主人と同じ年です。私、六十三ですから。私、若い頃に離婚しましてね。女手ひとつで、娘二人を育ててきました。前の専務が知り合いで、その伝《つて》で社員食堂に勤めるようになって、ナガイ光学には随分お世話になりました。退職金も頂いて、今は下の娘夫婦と一緒に自営業してます。関口さんとは、社食で知り合って、いつの間にか外でも会うようになりました。とても優しい、いい人で、奥様には申し訳ないのですが、私は好きでした」

敏子は、両のこめかみを手で押さえた。あまりのことに何も考えられなかった。全く予想だにしていなかった。社員食堂で働いていた同年の女と隆之が深い付き合いを続けていたとは。

「じゃ、同期会もお出になってるんですか」

「はい」

伊藤は悪びれずに答えた。

「社員ではありませんが、一応同期ということで、一緒にゴルフに連れて行ったりもしてくださいましたよ」

ゴルフなど、敏子は誘われたこともない。話しているうちに、気持ちが沈んでくるのを防ぎようがなかった。隆之がもうひとつの世界を持っていた事実。その世界は自分が入ることのできない、楽しいものなのだ。仕事の辛さや苦しみ、人間関係の煩《わずら》わしさ。隆之は、そんなことばかり愚痴っていたが、本当はそればかりではないのだ。だから、男は嬉々《きき》として外に働きに行く。

「奥様、私、奥様が羨ましかったこともありましたよ」

伊藤が、敏子を慰めるように言った。

「どこがですか。私なんて、家とスーパーを往復するだけの生活ですよ」

「関口さんと一緒に暮らしていたじゃないですか」

伊藤が微笑んだ。白髪が居間の照明を受けてきらりと光った。しっかりした眼差しが強いので毅然《きぜん》とした印象がある。伊藤は歳を取っていても美しい、と敏子は思った。隆之が心惹《ひ》かれるのも無理はなかった。

「一緒に暮らしてたって言っても、私たちは会話もあまり交わさなかったし、子供たちも寄り付かないし、二人で淡々と日々を過ごしていくだけの暮らしでした」

「幸せじゃないですか。関口さん、奥様のこと愛してたんですよ」

伊藤がしみじみ言って、隆之の遺影を眺めた。釣られて眺め、敏子は頷きかけたが、とんでもない、と思い直した。隆之と伊藤が十年も自分を裏切り続けていたことは事実なのだ。伊藤にしてやられるところだった。

「そんなことはどうでもいいです。伊藤さん、主人が亡くなった日はお宅に伺っていたんですね」

敏子は思い切って口にした。振り向いた伊藤の目に涙が溜《た》まっている。

「ええ、いらっしゃいましたよ。私は退職金で娘夫婦と小さな蕎麦屋を始めたんです。木曜は定休日なので、よく遊びにいらっしゃいました」

蕎麦屋。だから、蕎麦打ちを習いに行ったのだ。隆之が急に蕎麦打ちに興味を抱いた、というので変だと思っていた。木曜が定休なので、二人で遊ぶために蕎麦教室に行く、と自分を欺いていた。ひとつの鍵《かぎ》となる言葉で、パズルが次々と解けていくように、隆之の行動のすべてが腑《ふ》に落ちていく。

「何ていうお蕎麦屋さんなんですか」

「はあ、練馬の『阿武隈《あぶくま》』といいます。私、福島の出身なんで、郷里の阿武隈川から取りました」

伊藤は説明し慣れた様子で答えた。

「じゃ、今井さんのところで打った蕎麦は、そちらに持ち帰ったのかしら」

「前はそういうことも何度かありましたね」伊藤は思い出すように言った。「でも、娘婿《むこ》も蕎麦にはうるさいですから、貶《けな》されて気を悪くしたんじゃないですか。最近はあまり今井さんのところには行かなくなったと聞いています」

伊藤の娘夫婦とも隆之は仲が良かったのだ。隆之は、敏子を入れない人間関係を陰で築いていた。そのことが衝撃だった。

「あの日、何も変わりがなかったから、まさかご自宅で倒れたなんて想像もしませんでした」

「主人、あなたと無理したんじゃないですか」

敏子は暗に性関係を匂《にお》わせた。伊藤は察しよく目を伏せた。

「それは大丈夫だと思います」

「大丈夫って、どういうことです。はっきり説明してください」

「奥様、そんなこと」

伊藤は言うのを躊躇ったが、その目には密《ひそ》かに女としての優越感が潜んでいるように見えなくもない。

「わからないわ、わからないじゃない、そんなの。誰も何も言わないんですもの」

突然、敏子の感情が乱れた。昨日、今井に怒鳴ってしまったように、理不尽さを承知で爆発してしまう。伊藤が息を呑み、自分を凝視しているのがわかっていたが、敏子は溜まった感情が堰《せき》を切って流れる奔流を止めることができなかった。

「私が聞きたくたって、みんな黙っていて本当のことを言わないのよ。真実はどうだったのか、私が知りたいのはそのことなの。何で真綿でくるんだことしか言わないの。私は、主人が倒れてから、ずっと自分を責めていたのよ。私が悪かったんじゃないか、体調の変化に気付かなかったから死なせたんじゃないかって。でも、主人はあなたと十年も浮気を続け、死んだ日もあなたのところに行ってセックスしたんでしょう。だから、心臓麻痺を起こしたのよ。言うなれば、あなたが殺したようなものじゃないですか」

伊藤がはらはらと涙をこぼした。

「そんな酷《ひど》いこと仰らないでください。奥様、言葉が過ぎます」

「酷いですか。じゃ、十年裏切っていたのは」

伊藤が頭を下げた。

「そのことは、本当に申し訳ありませんでした。最後のお別れをしたいからって、来られるような立場じゃなかったのに、余計なことをお耳に入れて。忘れていただけませんか」

伊藤は急いで帰り支度を始めた。灰色のスプリングコートを手に取り、数珠《じゅず》をバッグに突っ込んで立ち上がった。

「失礼します。ありがとうございました」

伊藤がばたばたと帰って行く。敏子は椅子に腰を下ろしたままで、見送らなかった。呆然《ぼうぜん》としている。生きていてこれまで一度も感じたことのない、深く激しい怒りが湧き起こっていた。骨壺《こつつぼ》の中身を部屋中に撒《ま》き散らしてやりたいような気分だった。

祭壇の前に立って、遺影を眺めた。遺影の横に伊藤が置いていった香典袋があった。「伊藤昭子」と薄墨で書いてある。アキコと声に出して読んでみた。折り目の付いた新札が二枚入っていた。

敏子は袋ごと破り捨てた。夫を怒鳴りたくても、夫は死んでいない。その虚しさに走り出したいほどの焦燥を感じた。

敏子はキッチンからゴミの収集袋を数枚持って来て、洋服ダンスを開けた。中から隆之の服を片っ端から引きずり出し、ゴミの袋に入れる。すべて捨ててやるつもりだった。何も見たくない。隆之のことは、今日を限りと忘れてしまいたい。ゴミ袋五個で、隆之の服は眼前から消えた。ほっとして畳の上に座り、やがて敏子は号泣した。

「お母さん、どうしたの」

いつの間にか、美保が入って来ていた。散乱したゴミ袋を見て唖然《あぜん》としている。中身を覗き、大声で責めた。

「これ、お父さんの服じゃない。どうして捨てちゃうのよ」

「要らないのよ」

「捨てるの早いんじゃない」

娘に説明する気にもならず、敏子は叫んだ。

「夫婦のことなんだから、放っておいてよ」

美保が携帯電話を取り出し、急いで電話をかけているのが目に入った。

「マモル、来てよ。お母さんね、気が狂っちゃったみたいなのよ。どうしよう、怖いよ」

怖いのは、私よ。自分で自分をどう制御していいのかわからなかった。六十歳を前にして、こんなに乱れてしまう心を持っているなんて、思いも寄らなかった。心を捨ててしまいたい。

自分の存在も知りながら、隆之との時間を持ち、その死を悲しめる伊藤が憎くて堪らなかった。そして、伊藤と二人だけの世界を持っていた隆之が。気付くと、美保がゴミ袋ごと洋服ダンスに仕舞ったり、部屋を片付けていた。

「お母さん、あたしの部屋で寝なさいよ。休まなきゃ駄目」

「マモルさん来るんでしょう。何か作らなくちゃ」

美保が、痛ましそうに自分を見ているのに気付いた。

「いいよ、そんなことしなくて。お母さん、いい主婦過ぎるんだよ。だから、疲れるんだよ」

美保に手を取られ、二階の美保の部屋に連れて行かれた。娘のベッドは、しばらく使っていなかったので、ひんやりと冷たく、外気の匂いがした。それは仄《ほの》かに花の匂いを含んでいた。春が来る。

「眠って、お母さん。何があったのか知らないけど、ともかく眠って」

美保がいつになく優しいので、それだけが嬉しかった。

第三章　家出

「こんなところに、墓地買ったのお」

彰之が、大声を張り上げた。ビーフジャーキーを土産に買って来てくれたのはいいが、何のことはない。ビールのつまみにして、ほとんど彰之が食べていた。だが、隆之の納骨のために、単身でアメリカから帰国した彰之は、敏子に提案が沢山あるらしく、最初から低姿勢だった。

「だって、お父さんは三男だから、多磨霊園には入れないのよ。場所もないからって、伯父さんたちに釘《くぎ》を刺されているし」

「それはわかってるけど、これでいくらだよ」

彰之が唇を尖《とが》らせる。

「三平方メートルで五十九万。安いでしょう」

彰之は、敏子が見せたパンフレットを広げて眺めてぼやいた。

「田舎じゃないか。武蔵五日市から更にバスに乗って山の中なんて。こんなに遠くちゃ、墓参りに行けないよ」

「しょっちゅう、行くことなんかないわよ」

口調が余程冷たかったのか、彰之がぎょっとした顔で敏子を振り返った。

「そうは言うけど、お母さんも俺も、下手すれば美保だって、ここに入るんだぜ」

「私はいいの、入りたくないから。私は海に散骨してね」

散骨は前に雑誌で見て知っていた。どうせ撒《ま》いて貰《もら》うのならハワイの海がいい、行ったことがないから。散骨は、これまでずっと家に縛り付けられて、家族の世話をしてきた自分に相応《ふさわ》しい方法だ、と敏子は思った。

以前はこんな過激な考えを持ったことはなかった。伊藤昭子の出現以来、隆之にもうひとつの世界、それも親密で楽しげな世界が存在していたことを否応《いやおう》なく知らされた。それ故《ゆえ》か、最近の敏子は、人間は生きるも死ぬもどうせ一人だ、という無常観に苛《さい》まれている。

「オヤジ、冷たくされてるなあ」

「そんなことないわよ」敏子はむきになった。「あれほど幸せな人生はないんじゃないかしら。寝付いたんでもないし、死ぬにも苦しまなかった。贅沢《ぜいたく》はできなかったけど、お金がなかった訳じゃない。好き勝手なことして、いい人生じゃないの」

昼間からビールを飲んでいる彰之は、不審な目付きで母親を見た。

「でも、オヤジだって山の中に墓を建てられるとは思ってなかっただろう。お母さんは入りたくないって言うし」

「仕方ないわよ。お父さんが何も考えてこなかったんだから。お父さんって、すべてに甘い人なのよね」

彰之は、隆之が亡《な》くなった当初は、泣いてばかりいた敏子の豹変《ひょうへん》を薄気味悪く思ったようだ。こっそりとキッチンにいる美保の方を窺《うかが》っている。敏子からも、美保が彰之に何か手で合図しているのが見えた。おおかた、その話には触れるな、というサインだろう。敏子が伊藤の存在を知って号泣した日、ちょうど来合わせた美保は、隆之に何か秘密があったことを悟ったらしかった。が、敏子はひと言も娘には告げていないし、美保も全く触れない。敏子はその夜、電話で栄子にだけは打ち明けたが。

「お母さん、何かあったの」

彰之が声を潜めて尋ねた。

「べつに。どうしてそんなこと聞くの」

敏子はとぼけてビーフジャーキーの端っこを口に入れた。塩辛く、硬い。

「いや、お母さんにしては、やけに行動力がある、と思って」

「私だってできるわよ。私はこれから自分で何でも決めようと思うの」

「自分で決める？」

彰之の顔に暗い影が差した。

「だって仕方ないじゃない。お父さんがいないのは寂しいけど、さっさと一人で逝《い》っちゃったんだから、やらなきゃならないじゃない」

「お母さん、再婚とか考えているんじゃないの」

「まさか」敏子は即座に否定した。「私はもう二度と嫌。毎日、お昼ご飯を用意するのって大変よ。私一人なら残り物で済むけど、お父さんがいた時は結構くたびれちゃった。またチャーハンか、とか、麺類《めんるい》が続き過ぎる、とか小言ばっかり。外出する時だって、あらかじめチンすれば食べられる物をいちいち作っていかなくちゃならないなんて、今時、流行《はや》らないわよ」

男なんて、さんざん尽くしたって、陰で何をしてるのかわからない。敏子は後に続く言葉を呑《の》み込んだ。彰之は何も言わずに肩を竦《すく》めた。おとなしい専業主婦だと思っていた母親が、急にさばさばした様子を見せるので、戸惑っているらしい。敏子はビーフジャーキーを飲み込んで、彰之に聞いた。

「で、あなたはいつまで日本にいるの」

「それだけどね、俺は今回、物件を決めて準備にかかろうと思っているんだ。そのまま家族を迎える段取りだから、ここに泊めてくれない」

「いいわよ。だから、いつまで」

「この間、言ってたでしょう。同居できないかって」

彰之は小声で囁《ささや》いた。とうとう切りだした、と敏子は身構えた。彰之が美保の耳を気にしているのは、敏子にもわかっている。美保は、キッチンのテーブルで新聞を読みながら、カップラーメンを啜《すす》っていた。彰之が帰って来たので、納骨の打ち合わせのために家族が集まったところだ。

「あなたは、四十九日の時に話し合いましょうって言わなかったかしら」

「言ったけど、それじゃ間に合わないんだよ。契約したら、俺はすぐに仕事にかからなくちゃならないし、ちょうど大安が幼稚園に入るから、遅くとも五月には家族を呼び寄せようと思ってるんだ。お母さん、一緒に暮らそうよ。頼むよ」

彰之は拝む真似《まね》をした。自分勝手だ。こんな子だっけ。敏子はまたも、自分の子供なのに、知らない人間を眼前にしているような、心外さに囚《とら》われた。

アメリカで、彰之が苦労したのは想像に難くない。五年前に初めて、夫婦で韓国旅行をした以外、外国に行ったことのない自分にも、そのくらいは想像できる。とはいえ、彰之の依存ぶりは、目に余る。隆之という重石《おもし》が外れたせいかもしれない。

　悔しいが、世帯主として、男がどっしり構えている家は何事にも盤石《ばんじゃく》な気がする。セールスが来ても、夫が対応すれば、相手は諦《あきら》めて帰った。それに引き替え、敏子だったら、御しやすいと舐《な》められてか、延々と説明して口を挟ませないことも往々にしてある。

　先日、口座凍結のことで銀行に行った時も、説明がわからずにまごついている敏子に、銀行の窓口の女性は、事務的で冷たい態度を取ったではないか。この先、老女になればなるほど、世間は一層冷たくなるだろう。彰之と一緒に住むことで、自分が守られる、と思わないでもない。敏子が考えていると彰之が膨《ふく》れっ面《つら》をした。

「わかりましたよ。俺にカプセルホテルにでも泊まれ、と言うんですね」

「そうは言ってないわよ。あなたの家族がここに住むのはまだ早い、と言ってるの。第一、私の住む場所がなくなってしまうじゃない」

「それは大丈夫」彰之は請け合った。「由佳里と相談して来たんですよ。お母さんは、二階の俺の部屋を使ってください。俺たち夫婦は、和室で寝るし、子供はまだ小さいから美保の部屋に二段ベッドを入れる。子供が大きくなったら改築して、俺たちが二階に上がり、下にお母さんの部屋を新たに作りますよ。バリアフリーにすれば、車椅子《い》でも《す》オッケー。今日び、同居してくれる嫁もなかなかいないっていうんだから、いい話じゃないかと思うけど。由佳里もお母さんと住むのを楽しみにしてますよ」

アメリカで、由佳里と家の相談ばかりしていたのではあるまいか。自分を抜かして、同居の話が勝手に進んでいくのが怖《おそ》ろしかった。栄子は、同居話が出たら、ともかく拒否しろ、時間を稼げ、と忠告してくれたが、敏子には息子の暴走を阻止し切れる自信がなかった。

「お兄ちゃん、その話、強引過ぎない？」

美保が割って入った。カップラーメンを食べ終わったらしく、油がうっすらと付いた唇に煙草《たばこ》をくわえている。

「お母さんが迷ってるんだから、もう少し、後で決めたらいいじゃない」

彰之が露骨に嫌な顔をして、煙草の煙を手で払い除《の》けた。

「煙草、やめた方がいいぜ。アメリカじゃ、煙草吸ってる奴《やつ》は犯罪者扱いだ。セルフコントロールのできない奴って思われるんだから」

利《き》かない美保も黙っていない。

「五年前は自分だって、ぱかぱか吸ってたじゃない。それから、由佳里さん、前に同《どう》棲《せい》してた人と違うよね。前の人はどうしたの。結婚するって言ってた癖にどうなったのよ」

「関係ねえだろ」

関係ねえだろ、という口癖は、十年前、いや二十年前と同じだった。敏子は懐《なつ》かしさを感じると同時に、成長の感じられない我が子が一瞬、憎くさえ思えた。いずれにせよ、彰之の考えが固まっていることだけは確かだった。それも、話し合いの余地がないほど一方的に。

電話が鳴って、近くにいた美保が取った。お久しぶりです、と挨拶《あいさつ》してから、お母さんに電話よ、と子機を差し出した。

「もしもし、敏ちゃん」

栄子だった。栄子とは、伊藤昭子のことがあってから、急速に親しくなっている。そればかりか、「寡婦《かふ》同士にしかわからないことがあるのよ」という栄子の言葉に縋《すが》って、いつしか頼るようになっていた。

「栄ちゃん、昨日はありがとう」

昨日は、栄子がちらし鮨《ずし》を持って遊びに来た。その時、彰之に対する処し方をいろいろ指南されたのだった。今や、気の強い栄子は、敏子の人生の師匠となりつつあった。

「こちらこそ、長居しちゃってごめんなさい」と謝った後、栄子は声を潜めた。「敏ちゃん、例の件どう。彰之ちゃん、やっぱり言いだしたでしょう」

「そのことはまた。こっちから電話するわ」

「はいはい。頑張って」

彰之が一緒にいて話せないことがわかったのだろう。明日にでも電話して、と栄子から切った。

「凄《すご》いね、お母さんたち。六十にもなって、栄ちゃんとか敏ちゃんとか、ちゃん付けだもんね」

彰之のからかいに照れたが、考えてみたら、彰之一家と同居すれば、栄子との長電話もしにくくなるし、先日のように気軽に友人たちも呼べなくなるのだった。携帯電話を買おうか、と敏子は考えた。自分にも携帯電話が必要になるなんて、思ってもいなかった。

翌日は、四十九日の法要だった。片道二時間半かかる墓地まで皆で行き、墓地横に建ったビルディングのような味気ない寺で法要を済ませた後、広い墓地内をマイクロバスで墓まで運ばれた。すべて終わって帰って来たのは、午後六時近かった。

「一日がかりだったわね」

くたびれた敏子は、帰りの電車で肩を揉《も》んだ。

「お父さん、あんな広いところに一人でぽつんと残されたのね。何か可哀相《かわいそう》な感じ」

美保が、しんみりとして言った。さすがに、敏子も気が咎《とが》めた。墓地はまだ造成中で、良い場所だから人気が高い、早く買った方がいい、と業者に言われて慌《あわ》てて手付けを打ったのだが、関口家の墓の周囲はまだ売れていなかったのだ。ぽつんとひとつだけ関口家の墓石が立っている様は、寂しいなんてものじゃない。美保が非難した。

「何であんなとこに買ったのかわからないわ」

「でも、桜が咲き始めてたじゃない。いいよね、日本の桜は」

珍しく、彰之が敏子を庇《かば》った。山の南斜面に植わった桜が三分咲きだったのだ。せめてもの慰め、と敏子も思い直す。伊藤昭子のことがわかってから、亡き夫に、容赦ない怒りが湧《わ》いて、どうしようもない時期に墓地を買ったのだった。

亡くなってふた月。悲しみと怒りがごちゃ混ぜで、日替わりで気分が変わる不安定さだった。いくら夫が憎いといっても、死んでしまったのだから、墓所を僻地《へきち》に買って嫌がらせをしても自分が困るだけなのに。遠い墓は親戚《しんせき》の間でも評判が悪かった。

自分で何もかも決めて生きる、と意気込んだのも束《つか》の間《ま》、早くも失敗したのではないかと、敏子は意気消沈した。

「さあ、これでオヤジのホネも納めたし、後は皆で仲良くやるしかないよね」

彰之が大きな欠伸《あくび》を洩《も》らした。太り気味の彰之は、座席に浅く腰掛け、組んだ脚をぶらぶらさせて、中央線上り電車の車内吊《づ》り広告を見上げている。

「ねえ、仲良くやりましょうや、お母さん」

彰之は返答をしない敏子に念を押した。

「ホネホネ言わないでよ。お骨《こつ》って言って」

敏子は小さく呟《つぶや》いた。が、電車の音で聞こえなかったらしく、隣に座っている彰之が聞き返した。

「今、何て言ったの」

「もういいわよ。何でもない」

敏子は面倒臭くなった。日が暮れてきて、空は暗い。線路沿いのネオンサインが目に留まった。「カプセルホテル」とある。彰之が、泊まる、と厭味《いやみ》を言った「カプセルホテル」とは、ああいう建物なのか。何だかラブホテルとビジネスホテルを足したみたい。敏子はぼんやりと眺めた。

納骨を済ませたことで、ほっとした気分と限りない寂しさとが混じり合っていた。三十六年間も一緒に暮らした夫は、とうとう冷たい墓の中に入ってしまったのだ。生前、他の女性と親密な交際をしていたからといっても、死人にはもう何を言っても無駄だ。家の中に遺骨があった時よりも更に、夫の存在が遠くなった気がした。思い出の中だけに生きている夫。しかし、その思い出も夫にとっては違う様相を帯びていたのかと思うと、辛《つら》い。おそらく、伊藤昭子とは旅行に行ったり、外食に出かけたり、楽しい思い出を沢山作ったのだろう、自分に留守番をさせて。急激に虚《むな》しさに囚われ、敏子の動悸《どうき》が激しくなった。

「ねえ、彰之」

思わず、傍らの息子に声をかけた。時差ぼけが出たのか、彰之はうとうととしていた。半眼を開けて敏子を見遣《みや》る仕種《しぐさ》は隆之にそっくりだ。敏子は懐かしくなって、息子に頼りたくなった。だが、心を鬼にして言う。

「私、考えたんだけどね。ちょっと聞いてくれる」

左隣に座っている美保は、携帯メールを打つのに忙しく、母親と兄の会話に興味など持っていない様子だった。法要にマモルが出席しなかったので、出来事を報告しているらしい。結婚なんか考えていない、という割には二人の仲が良いことに、敏子は気付いていた。

「彰之、あなたはどうしてあの家に固執するの」

敏子の率直な質問に、一瞬たじろいだ様子で彰之は押し黙った。

「あの家、古くて大変よ。キッチンも低くて使い辛いし、今時オーブンもない。屋根も外壁も全部直さなくちゃならない。お金がかかるわよ。それより新しいマンションの方がいいんじゃない」

「いや、古い方が味があっていいよ」

彰之はのんびり言った。

「あなたは男だからそんなこと言うのよ。主婦の意見は違うと思う。実際、由佳里さんが見たら、どうかしら。アメリカの家とは違うわよ」

「大丈夫だよ。あいつも元々は田舎育ちだし、東京の戸建てに住むことに憧《あこが》れてたんだって。そこから幼稚園の送り迎えしたいんだって」

彰之は楽しそうに言った。敏子は、新婚の頃を思い出した。六畳ひと間のアパートから始まり、彰之が生まれて手狭になったので、二間のアパートに越した。その時の嬉《うれ》しさはひとしおだった。社宅が空いたのでいそいそと移り、そこで倹約して金を貯《た》め、一戸建てを購入するための頭金を作ったのだった。すべて、段階を踏んで、生活をより良くするために努力してきた。だから、彰之夫婦のやり方が安易に思えて仕方がない。母親が一人暮らしになったからといって同居しよう、と考えるのは楽観的過ぎないか。

「家具だって、どうするの。うちはあなたたちが置いていった物で溢《あふ》れ返っているのよ。これ以上、物は増やせないでしょう。あなたの家の荷物は入らないわよ」

「俺のは捨てていいよ」

捨てていい、と簡単に言うが、誰が捨てるのだ。ベッドと机は。大量の本は雑誌は洋服は。粗大ゴミだって、敏子一人では二階から運び下ろすこともできない。ましてや、美保の分もある。美保を説得するのは誰がする。出て行ったまま帰って来ない子供たちのために部屋は用意してあるが、彼らは残った親の生活など考えたこともないのだ。敏子はだんだん腹が立ってきた。

「簡単に言わないでちょうだいよ。あなたの考えは甘いわ」

彰之は咳《せき》払いした。口の端に深い縦皺《たてじわ》が出来ている。腹を立てているのだ、と敏子は思った。そんなところも隆之に似ていた。

「じゃ、言いましょうか、お母さん。こんなことを言うと、遺産目当てじゃないかと思われるのが嫌で黙ってたんですよ。実はね、三年ほど前にオヤジからロスに電話がかかってきたんですよ。今日、退職の日だから、と言ってました。俺も連絡しなかったことを詫《わ》びて、久しぶりに三十分くらい喋《しゃべ》りましたよ。その時に、オヤジがこう言ってました。俺に何かあったら、お母さんをよろしく頼むって。俺に頼って生きているんだから、次はお前が面倒を見てやれって」

隆之が、息子にそんな依頼をしていたなんて、何も知らされてなかった。敏子は口に手を当てた。彰之は、母親の反応を見据えて、続けた。

「それでね、オヤジはこう言ってましたよ。お前は長男だから、いつか日本に帰って家を継げって。だから、お母さんは俺が面倒見るし、家は俺がオヤジの遺言通り、貰います」

電話が遺言になるのか、と思わないでもなかったが、敏子は意外さに打たれて何も言い返せなかった。嬉しいのか、迷惑なのか、咄嗟《とっさ》に判断できない。隆之が自分の老後のことを考えてくれるのは嬉しいが、八年も会わない彰之に託されても困るのだった。しかも、古家とセットになっているとは。

美保に相談しよう、と娘の方を見たが、美保は黒いパンツスーツの脚を大きく広げて寝入っていた。彰之は、車窓に映った自分の顔を眺め、顎《あご》に手をやった。

「俺、老《ふ》けたでしょう。皆に言われますよ。彰之君は三十五歳に見えないねって。そりゃ、そうですよ。俺、アメリカで舐められないために、一生懸命貫禄《かんろく》付けたんですから。音楽で挫折《ざせつ》してからの人生、辛かったですよ。日本食レストランで皿洗いやって。俺みたいな奴、大勢いるんですから。俺はこいつらと違って成功してやる、とそればかり思ってた。一ドル札の皺伸ばして、毎晩数えてました。それでも、オヤジやオフクロの世話にはならないって頑張ってきた。だから、俺、オヤジの申し出は嬉しかったですよ」

敏子は疑問を口にした。

「何で、そのことを私は知らないのかしら」

「男同士の約束だからでしょう」

彰之は事も無げに言ってのけた。しかし、敏子の脳裏には、大事なことをどうして夫は言ってくれなかったのだろうという疑問だけが残った。確かに、自分は世事に疎《うと》い。だが、自分の人生は、たとえ息子とはいえ、他人に託されて済むことではないはずだった。

「お母さん」彰之が嬉しそうに続けた。「俺、二十五の時に家を出たでしょう。葬式の時に、久しぶりに我が家を見て、ああ懐かしいなあ、やっと日本に帰れるんだ、と思いましたよ。オヤジは孝行できないうちに死んじゃったけどさ。俺はお母さんに孝行したいんですよ」

彰之は大きな拳《こぶし》で目尻《めじり》を拭《ぬぐ》った。

「あ、ちきしょう。涙が出てきた。葬式でも、焼き場でも泣かなかったのにな」

三鷹《みたか》駅で美保と別れた後、敏子と彰之はバスで自宅まで帰って来た。取り払われた祭壇に代わって、先日届いた仏壇が和室の一隅を占めている。敏子は仏壇の中に、早速、位牌《いはい》を据えた。線香を上げて、鈴を鳴らした。円覚隆道居士《こじ》。敏子は位牌を眺めてから、心の中で話しかけた。

「あなた、とうとう位牌になってしまったわね。伊藤さんのことはともかく、私はこれから先、どうしたらいいの。あなたが彰之に託してくれたのは有難いけれども、私の意見も聞いてからにしてほしかったわ」

だが、電車の中で見た彰之の涙が、敏子の心をほぼ決めさせていた。息子一家の世話になり、世話をして、これから死ぬまでの人生を生きる、と。

「お母さん、こっち来て酒飲もうよ」

キッチンで彰之が声をかけた。着替えて行くと、彰之が勝手に始めていた。隆之の焼酎《しようちゆう》をウーロン茶で割って飲んでいる。彰之は手早く敏子の分を作って、手の中に押し込んだ。

「同居の件、オッケーってことでいいですね」

敏子はゆっくり頷《うなず》いた。しかし、心の底からは喜べない。まだまだ迷いがある。彰之はグラスを掲げた。

「じゃ、オヤジの冥福《めいふく》を祈り、俺たちの新しい生活を祝して乾杯しましょう。乾杯」

敏子は釣られてグラスを上げた。ほぼ決めた、とはいえ、抗《あらが》えない力で流れに乗せられた感があった。後味が悪い。敏子は、薄いウーロン茶割に口を付けた後、左手の薬指に食い込んだ金の指輪を眺めた。ずっと嵌《は》めているうちに、取れなくなった結婚指輪。彰之の提案も、取れなくなった指輪と同じで、無理に取る必要はないのかもしれないと思う。彰之がにこにこした。

「何考えてるの。お母さん」

「いや、しばらく離れていた息子と一緒に住むってどんな感じかしらと思って」

「昔と変わらないでしょう」彰之は雨の染《し》みがあるキッチンの天井を見上げた。「人間の生活なんて変わらないですよ。代替わりってことです。お母さんは、ちょっと若い隠居ですよ」

隠居か、とたまらなく憂鬱《ゆううつ》になる。自分はまだ五十九歳だ。美奈子は現役の主婦、和世はセレクトショップのオーナー、栄子は今が遊び盛りとばかりに出歩いているというのに。

「お母さん、電話貸して貰います」

彰之は立ち上がって、居間の電話からロスアンジェルスに連絡した。

「お母さん、いいって言ってくれたよ。良かったな。そうか、伝えるよ」

彰之は弾んだ声で由佳里に報告している。子供たちに替わっているらしく、電話は長かった。国際電話代は払わないつもりだろう。敏子は、この先、こんな些細《ささい》なことばかりが気になるのだろうなと思って、気持ちが塞《ふさ》いだ。

「皆、二週間後に来ます」

そんなに早く来るのか、と敏子は驚いた。まるで準備していたようだ。疑心を隠せない。すると、彰之が何気なく尋ねた。

「オヤジ、遺言ないんですよね」

「ないわよ」

「じゃ、全部法定相続だな」

彰之は、いつの間にかシステム手帳を広げ、チェック項目に印を入れていた。あらかじめ、調べ上げていたのだろうか。そこまで考えた敏子は、自分を恥じて頭《かぶり》を振った。実の息子に対して、何を考えているのだろう。

「預金はいくらあるんですか」

「一千万弱かな」

「保険は」

「生協の保険に入ってるわ」

せこいなあ、と彰之は苦笑した。またもシステム手帳に何か書き付けている。

「死亡時、どのくらい貰えるか調べておきますよ。でも、受取人はお母さんでしょう。まずいなあ。それとオヤジの年金受給額は今、いくらなんです」

「二十万前後だったと思うわ。お父さんが管理していたから、よくわからない」

答えながら、敏子は不安になっていく。ついこの間まで、自分は散骨したいと思っていたが、彰之ならば、あの墓地に入れてしまいそうだ。急に心配になって、敏子は美保を頼らねばならないと思った。

「美保を抜かして、こんな相談していいのかしら。あの子、怒るわよ」

「構いませんよ。マモル君は前橋の酒屋の息子でしょう。土地持ちだろうから、やる必要なんかないですよ。そうだ、一千万の中から、百万やりましょう。それで充分ですよ」

彰之は手帳から顔も上げずに答えた。敏子は、たったの百万で美保が気持ちを収めるかどうか、自信がなかったが、彰之に任せようという気分になっていた。彰之という壮年の息子を前にして、面倒を避けたい気持ちが強くなっている。何もかもが面倒臭く、自分が関わると碌《ろく》なことはあるまい、とまで思う。敏子は完全に自信を喪失していた。

「俺の方から美保に言っておきますよ。部屋も近日中に片付けるように言わなくちゃならないし」

「そんなに早くしなくたっていいでしょう。あの子だって、お父さんが死んで、まだ不安定なんだから」

彰之は猪首《いくび》をぐるぐると回した。目の下に隈《くま》が出来ている。一昨日、帰国したばかりだから、時差ぼけが辛いのだろう。

「不安定って言えば、みんな不安定なんですよ。あいつも三十一でしょう。立派な大人じゃないですか」

彰之は断じて、計算を始めた。

「おそらく、お母さんの年金受給額は四分の三として、十五万くらいになると思います。小遣いとしては充分過ぎるでしょう。少し家に入れて貰っていいですよね」

逆ではないか、と敏子は思ったが口には出せなかった。反論するだけのデータも気力もなかった。敏子が家に幾ばくかの金を入れる、ということは、彰之の一家に寄宿することになるのだろうか。自分の家という意識が強い分、「家に入れて貰う」という彰之の考えは衝撃だった。敏子は気になっていたことを聞いた。

「現金だけど、それは私が遣いたいわ。何かあった時に困るから」

彰之は困った顔をした。

「さっき、法定相続って言ったじゃないですか。それは現金も同じです。お母さんの取り分は半分の五百万。いいですね。それから、権利証とか預金通帳はどこにあるの」

「銀行の貸金庫よ」

「じゃあ、明日取りに行ってよ、お母さん」

敏子は命令口調で次々とことを運んでいく彰之に大きな不満を持ったが、頷かざるを得なかった。

翌朝、彰之は機嫌良く外出した。見計らったように、栄子から電話があった。

「敏ちゃん、彰之ちゃんと話し合った？」

栄子は自分を叱《しか》るだろうと思いながら、敏子はおずおずと答える。

「同居することになったわ」

「やっぱし」栄子は暗い声を出した。「敏ちゃんのことだから、押し切られると思っていた。あなた、ここは正念場よ。しっかりしなくちゃ」

「でもね、主人が息子に頼んでいたらしいのよ。私の面倒見るようにって」

「ほう。それであなたはどう思ったの」と栄子。

「主人がそこまで考えてくれてたことが意外で、ちょっと嬉しかったかな」

電話口から、栄子の深い嘆息が聞こえてきた。

「あのねえ、敏ちゃん。あたしはお節介したい訳じゃないのよ、誤解しないで。でも、寡婦の先輩として、言わずにおれないわ。あなたが一人で暮らせなくなるのって、まだまだ先の話でしょう。ご主人は、確かに彰之ちゃんに遺言したかもしれないけど、こんなに早く自分が死んじゃうなんて、想像してなかったんじゃないかしら。きっと軽いノリだったのよ」

軽いノリとは思わないが、栄子の言うことにも一理あった。敏子はまたしても迷って黙り込んだ。栄子は重ねて言った。

「ご主人があなたのことを考えてなかった、と言ってるんじゃないわよ。ただ、死ぬことに現実味はなかっただろう、という意味よ」

敏子は沈んで、まだ片付けていないテーブルの上の食器を眺めた。彰之が和風の朝食を食べたがったので、今朝は納豆や干物《ひもの》を添えた朝食を作ってやったのだ。手間はかかっても、再び家族のための食事を作るのは楽しくもあった。このような生活だったら続けてもいい、と密《ひそ》かに考えたのも事実だ。しかし、尽くしたところで、夫は長い間、自分を裏切っていたではないか。またしても、黒々とした思いが湧き上がり、敏子は息苦しくなった。あなた、私のことをどう思っていたのよ、と問い詰めたくなる衝動。が、相手はいない。虚しい。この虚しさに堪えきれるのだろうか。敏子は意気消沈した。

「だけど、いずれ動けなくなったりするんだし、私も一人で暮らすのは寂しいもの」

そうだ。私は悲しい思いをしたのだから寂しいのだ、誰かに大切にされたいのだ、と敏子は叫びたくなる。栄子は焦《じ》れったそうに遮《さえぎ》った。

「寂しいってのが、曲者《くせもの》なのよ。みんなそれで道を誤るの。敏ちゃん、目を覚ましてよ」

「覚ますっていったって、私にはどうしようもないのよ」

「何でどうしようもないのよ。諦《つ》めないで、頑張らなきゃ」

栄子は、電話口で煙草に火を点けているらしく、ライターの着火音が耳許《みみもと》でした。

栄子はもどかしそうだった。

「埒《らち》が明かないわね。今日これから行っていいかしら。彰之ちゃん、出かけたんでしょう」

「いいけど、どうして」

「作戦練らなきゃ駄目」

栄子は張り切っている、と敏子は感じた。

あたふたと栄子がやって来たのは、ちょうど昼頃だった。今日はベージュのトレンチコートに白のパンツという春らしい装《よそお》いだった。

「素敵ね。若く見える」

「ありがと。今年の春はトレンチコートが流行ってるんだって」

栄子はまんざらでもない顔でコートを脱ぎ、和室を覗いた。

「あら、仏壇買ったのね。素敵じゃない。ご主人、とうとうお位牌になっちゃったんだ。寂しいなあ。でも、いいの、いいの。こうやって少しずつ慣れていくものなんだからさ」

自分で喋り散らして自分で納得しながら、栄子は途中で買ったという鮨折やサラダのパックなどをキッチンのテーブルの上に置いた。

「お昼ご飯買って来たわ。勝手に見繕《みつくろ》ったけど、茶巾《ちゃきん》は一人二個で充分よね」

敏子の返事も待たず、栄子は太い腕に着けたダイヤ入りロレックスの時計を目を細めて覗き込んだ。

「ごめんね。あたし、今日は二時間くらいしか居られないのよ。ホセ様の後援会長と食事だから、美容院に行かなくちゃならないの」

忙しい栄子が現れた途端、急かされる気がしてならない。敏子は一生懸命落ち着いた声を出そうと努力した。

「いいわよ、勿論《もちろん》。ねえ、茶巾いくらだった。お金払うわ」

「六百円でいいわ」

ポテトサラダや生春巻の代金もあるから、決して六百円では済まないはずだが、とりあえず値段をはっきり告げて、躊躇《ちゅうちょ》なく金を受け取るのは栄子の美点なのだろうか、と敏子は考え込む。六百円の根拠は何だろう、と。こういう細かいところが気になるのが、自分でも嫌で仕方がなかった。敏子は代金を払って、ほうじ茶を淹《い》れた。その間、栄子は仏壇の前で線香を上げている。

「さあ、作戦会議開始」

栄子はテーブルに着くなり、腕組みをした。電話ではさんざん伊藤昭子のことなどを訴えた敏子だが、こうして二人きりになると栄子に気圧《けお》されて碌に喋れなくなってしまう。栄子は、勢いよく鮨折の包装紙を破いた。

「彰之ちゃんは、あなたとここで同居したいって言ってるんでしょう。家はこのままで、一緒に住むってことなの」

「そうよ。家具はアメリカで売って帰るから、家族は身ひとつだというようなことを言ってたわ。私は二階で、彰之たちは和室で寝るって」

「無理無理。絶対、無理」栄子は茶巾を皿に取って、首を振った。「いくら実の息子だって、お嫁さんを貰ったら別の家族になっちゃうのよ。あなたの箪笥《たんす》をお嫁さんが使うの？　あなたたちの布団《ふとん》に息子さん夫婦が寝るの？　そんなの嫌じゃない。あたしの知ってる人も失敗したのよ。六十二歳で未亡人になってね。長男一家と同居したの。最初は良かったんだって。でも、そのうち喧嘩《けんか》ばっかりするようになったの。お嫁さんが菓子パンを買って来ても、『おばあちゃん、三百五十円でした』って、いちいち取り立てるのよ。せこい話でしょう。うまくいかなくなると、どうなるか知ってる？　年寄りが家を出るのよ。一番身軽なのは年寄りですもの。若い家族は子供の学校やら仕事やらあって動けないからね。だからトラブったら、年寄りが追い出される。それが当たり前なのよ」

そうかもしれない。敏子は葬式の日のことを思い出した。祭壇の前で歌い踊った孫たちと子供たちのはしゃぎ振り。皆で骨壺《こつつぼ》の重さを当てたりして。未来の時間を沢山持った幼児を育てているから、死に対する実感を失っているのだ。若い家族と、深い悲しみを経験した自分が、仲良く暮らしていけるのだろうか。

「家を出た年寄りはどこに行くのかしら」

「人それぞれよ。老人ホームに行く人もいれば、アパートで暮らす人もいる。ピンキリじゃない」

「持ってるお金次第ってことね」

栄子は、親指と人差し指で丸を作った。

「頼れるのはお金だけよ、敏ちゃん」

突然、敏子は貸金庫に行くよう、彰之に命ぜられていたことを思い出した。

「いけない。銀行に行くんだったわ」

「何しに」栄子がぎろりと睨《にら》んだ。

「預金通帳や権利証を見たいって彰之が言うから」

「何で見せなくちゃならないの。あなた、まさか法定相続する気じゃないでしょうね」

栄子が箸《はし》を止めた。

「彰之はそう言ってたわ」

「信じられない」栄子が大袈裟《おおげさ》に溜息《ためいき》を吐《つ》く。「あなたのものになるのかと思ってたわ。全部、あなたが相続して、なおかつ同居するのかと」

「違うわよ。権利があるから、名義は皆で分けて、その上で同居するの」

「やめた方がいいと思う。敏ちゃん、マジにそう思う。あなた、損よ。あなたが子供たちに嫌だという理由を説明して、説得するしかないわ」

派手で押し出しの強い栄子が真面目《まじめ》な顔をすると、迫力がある。またしても、敏子は栄子が自分の人生の師匠のような気がしてきた。昨夜までは彰之に頼ろうかと思っていた癖に。つくづく弱い自分が嫌になる。栄子は厳然と言った。

「頑張って拒否しなさいよ」

「やったけど、押し切られちゃうのよ」

「何度でもやるのよ。だって、あなたとご主人が築いた財産じゃない。二人で頑張ってきたんでしょ。だったら、嫌だって言わなきゃ」

「彰之たち、仕事ないらしいの。困っているのよ。そう聞くと助けてやりたくなるのが母親なのよ」

「敏ちゃんは優しいんだから」

敏子はこういう時、あなたは子供がいないからわからないのよ、とつい言いたくなってしまう。だが、親しい友人間でもそれは禁句だった。すると、栄子の方から言った。

「あなた、あたしに子供がないからわからないんだって言いたいんでしょう」

栄子の鋭さに、敏子は息を呑んだ。

「そんなこと思ってないわよ」

「あなたの顔に書いてある。敏ちゃんて、考えていること、すぐわかるの」

気まずい空気が流れた。敏子は困惑して、生春巻を囓《かじ》った。中から、春雨が飛び出てずるずると下に落ちた。滅多に外食をしない敏子は、生春巻という食べ物があることも、最近まで知らなかった。勇んで買った墓所も失敗したし、私は世間知らずで、気の利かない、弱い女だ。栄子のように自分の才覚で逞《たくま》しく生きている人間とは違う。

敏子は引け目を感じた。

「ごめん。気にしないでよ」

煙草に火を点けた栄子が頭を搔《か》いた。シャネルだか、ジバンシーだかの香水が匂《にお》った。

「気にしてないわ。ただ私は自信がないのよ」敏子は正直に言った。「もともと自己主張のなかった人間だと思うけど、今度のことで本当に駄目になった気分。主人が死んだのもショックだったけど、伊藤さんのことが追い打ちをかけてる。あなたは真実と向き合えって言ったわね。でも、私はそんな勇気ないの。知らなきゃよかった」

敏子は自分でも暗い目をしているだろうと思った。力が抜けて、いつまでも気力が湧かないのだった。まさか、生涯を共にした夫との別れがこんな形になろうとは。悲しみや憎しみなど、強い負の感情の整理が付かない。その上、環境が激変しようとしているのだ。涙が出そうになって、敏子は慌てて目を逸《そ》らした。

栄子が煙草を消した。その匂いが隆之を彷彿《ほうふつ》とさせ、敏子はとうとう涙を滲《にじ》ませた。敏子の涙を見て、栄子が俯《うつむ》いた。

「敏ちゃん、ごめんね。あなたはあたしと違うもんね。強くなれ、なんて偉そうに言って悪かったわ。あなたは息子さんと一緒に住むのがいいのかもしれないわね。いいじゃない、同居すれば」

だが、そう言われると、これではいけないと思う自分もいるのだから始末に悪い。敏子は、今日のところは銀行に行かず、納得がいくまでもう一度、彰之と話してみようと決意した。

その夜、彰之は不機嫌だった。敏子が用意した夕食をがつがつと食べ、黙りこくって焼酎を飲んでいる。美保に電話したところ、激怒されたというのだ。美保にしてみれば、自分を抜いて母親と兄の話し合いが持たれ、実家を兄一家に占領されてしまうという不満と怒りがあるのだろう。

「美保に何て言ったの」

「昨日の話し合いの結果報告ですよ。お母さんは俺たちと一緒に住むことになったから、お前の荷物を整理してくれってね。あと、俺たち夫婦はお母さんの老後の面倒を見るつもりだけど、お前は何もしないのだから、現金で手を打てって言いました。そしたら、いくらって聞いてくるんで、つい二百万と答えた」

昨日は百万で充分だと言い放ったのに、彰之にしても若干の呵責《かしやく》があるのだろう、と敏子は思った。が、無論、黙っていた。

「美保はそれで怒ったのね」

「怒ったなんてもんじゃないですよ。お母さんも同じ意見か、と聞くから、そうだと言ったら、お母さんもお母さんだって泣き喚《わめ》いていた」

自分の意見が果たして彰之と同じなのか。敏子は釈然としなかった。

「私は反対してたじゃない」

「何言ってるんですか」彰之は憤然とした。「お母さん同意したでしょう。ゆうべは乾杯までしたじゃないですか。お父さんの遺言の話したら、ほろりとしてたじゃない」

そうだった。敏子は悔やんで唇を嚙《か》んだ。何という、いい加減さだろうか。自分が優柔不断だから、栄子も呆《あき》れて帰ってしまったのだ。

「ひとつ案があります。あいつにもっと現金やるんですよ。いいですか。この家、三十坪でしょう。時価にして三千万くらいだって。現金が一千、生協の保険が一千。合わせて約五千万なんです」

彰之は何を言いだすのだろう。敏子は不安を抑えて耳を傾けた。事態がどんどん悪くなっている気がする。もう止めようがない。

「これを皆で分けるとなると、お母さんは半分の二千五百万。残りを俺と美保とで分けるとして千二百五十万ずつ。仕方がないから、美保に現金を全部やりましょう。一千万。俺とお母さんは保険金と、この家に住むんだからいいってことでどうですか。保険金は近い将来の改築費用ということで、手付かずで残す」

「だって、保険金は私が受け取り人なのよ。だから、相続の対象じゃないって保険屋さんが言ってたわ」

「ほんとですか」

彰之が不審な目を向けると、確信のない敏子の語尾は曖昧《あいまい》になってしまう。

「多分そうだと思うの」

「じゃ、お母さんが改築資金出してよ」

「何言ってるの。私は現金が全くないのは不安だわ。年金だけじゃ、何かあった時に足りないもの」

敏子は大声を出した。

「何かって何」

彰之は聞き返した。不測の事態など考えたくないように受け取れた。

「私の病気とか」海外旅行とか、と続く楽しいことを何とか口にせずに、敏子は答えた。

「お母さんが病気になったら、俺たちが面倒みるんだから関係ないじゃん。家があるんだもの、いいじゃないですか」

関係ないことはないだろう。急に、敏子は怒りの感情に襲われた。家があるからい い、と言うが、ローンを払い終えたのは、退職金の半分を費やしたからではないか。全部で六千万以上払った家がたったの三千万にしかならないことも頭に来るが、ローンの遣《や》り繰《く》りをしたのは、隆之ではなく、この自分なのだ。友人たちがハワイに行った時も諦めたし、毛皮も宝石も持っていない。習い事だって、夫に遠慮してしなかった。地味で質素な自分だからこそ、夫も子供たちも恙無《つつがな》く暮らしてこられたのではないか。それなのに、それなのに。自分を差し置いて、隆之も、彰之も勝手なことを。

敏子は言葉が出なくなった。体が震えてくる。

「お母さん、どうしたの」

さすがに慌てた様子で、彰之が尋ねた。敏子は顔が紅潮するのを感じた。生まれて初めて体の奥深いところから噴き上がる大きな怒りだった。

「いい加減にしてよ」

敏子はやっとそれだけ言うと、和室に入って襖《ふすま》をぴしゃりと閉めた。居間から、彰之が声をかけた。

「お母さん、話し合おうよ」

「お願いだから、一人で考えさせて」

そう言った後、敏子は自分一人でじっくり考える時間がなさ過ぎたのだと気が付いた。どこかに行こう。不意に、納骨の帰りに中央線から見えたカプセルホテルの看板が脳裏を過《よ》ぎった。

敏子は、替えの下着や洋服、化粧品などを大きめのバッグに詰めた。コートを手にして襖を開けると、彰之が腕組みをして立っていた。

「悪かったよ。関係ない、なんて言って」

「いいけど、少しは私のことも考えてちょうだい。お父さんが死んだことだって急で、まだ何も決められないんだから」

敏子の怒りは鎮《しず》まっていない。彰之は不思議そうに顔を上げた。

「お墓は一人で決めたじゃない。随分、しっかりしてるなあと感心してたけど」

墓のことを言われるとばつが悪い。敏子は何も答えずに目を逸らした。彰之は、敏子が提《さ》げているバッグをちらりと見遣った。

「お母さん、遅くにどこに行くの」

「栄子さんに泊めて貰おうと思って。少しのんびりして考えてくるわ」

敏子は嘘《うそ》を吐いた。人間なんて孤独なものだと思う。六十歳近くにもなれば、仲の良い友達に対しても、できることとできないことは、はっきりする。いくら仲の良い友達でも、夜突然行って、迷惑をかける訳にはいかなかった。それに、栄子や美奈子たちに余計な心配をされるのも重荷だった。自分と同じ立場にいない人間と共有できるものは、何と少ないのだろうか。

彰之は安心したのか、照れ臭い表情で、うなじを掻いた。

「ならいいよ。お母さんのことだから、自殺なんかしないと思うけどさ」

自殺と言われて、敏子は意外な気がした。自殺など考えたこともなかった。まだ、夫が急死した悲しみと混乱の中にいるのは確かだが、自殺してまで現実から逃げたくはなかった。しかし、自分が死ねば、結果的に彰之も美保も楽になる面はあるのだ、と気付く。一人残った自分は、子供たちのお荷物となっている。まさか、このような人生が待っているなんて。

敏子は息苦しくなって、彰之の肉の付いた横顔を眺めた。息子なのに他人のような気がする。いや、よく知った他人よりも遠い存在。しばらく会わなかったせいだろうか。不意に疑問が生じた。彰之は、なぜこれほど長く、日本に帰って来なかったのか。

敏子はバッグをソファに置いた。

「ねえ、彰之。あなたに聞きたいことがあるんだけど、いいかしら」

立ったまま、テレビのニュース番組をちらちら眺めていた彰之が振り返った。

敏子は思い切って口にした。

「あなたが、家になかなか帰って来なかった理由って何なの。八年間も不在だったわよね。結婚したのも向こうだし、それも事後報告だった。写真を送ってくれただけ。

正直言うとね、あなたがそこまで私たちを嫌っているのか、と悩んだこともあったわ。ね、どうしてなの」

彰之が困った顔をした。言い淀《よど》んでいるのか、唇を噛んだ。敏子は重ねて問う。

「ねえ、教えてよ。本当の理由は何なの。お父さんと、いつも話してたの。彰之はなぜ帰って来ないのだろうって。孫の顔を見せに一度くらい帰ったっていいじゃないかって」

「忘れちゃったの、お母さん」

彰之が敏子の目を見つめた。子供時代の面影が蘇《よみがえ》る。目付きだけは変わらない。

「何のこと」

「俺が銀行辞めてアメリカに行くって言ったらさ、オヤジは若い時はやりたいことをやった方がいい、と言って賛成してくれたけど、お母さんは反対したよね。折角入った銀行を辞めるなんてって。すごく怒ったのを覚えているよ」

その通りだ。敏子は思い出しながら首肯した。自分は安定志向の強い人間だ。だから、息子には、一流企業に勤めて、経済的にも楽な暮らしをして貰いたかった。そして優しい女性と結婚してほしい、と。それのどこが悪いのだろうか。

「お母さんは最後には根負けして、俺にこう言ったよ。行くんだったら、行ってもいい。でも、成功するまで帰って来ないでって。その言葉がずっと俺を縛っていたんだよ。帰りたくても帰れなかった。だって、成功してないんだもの。ていうか、失敗して道に迷ったままなんだからさ。オヤジが死んだ時、やっと日本に帰るきっかけを摑《つか》んだ気がした。こういう言い方して悪いけど、オヤジの最後の贈り物だと思ったよ。悲しい話さ」

敏子は啞然《あぜん》とした。

「それはあなたを励まそうとして言ったのよ。私たちはあなたの親なんだから、気にしないで帰って来れば良かったのに。ずっと待ってたのに」

彰之が唇を舐めた。

「男には意地ってものがあるんだよ。カッコ悪いでしょう」

旅立つ息子に何と安易なことを言ったのだろう。だが、時間を取り戻すことはできない。

「そうだったのね、悪かったわ」

敏子は謝ったが、気まずい雰囲気は変わらない。敏子は彰之と相対しているのが苦痛になった。息子の方で自分を拒否していると感じたからだった、それも長い間。敏子はコートを着て、ソファにおいたバッグを取った。

「じゃ、行ってくるから」

「ちょっと待って」

「止めないでよ。私だって一人になりたいことがあるんだから」

「止めないよ」彰之は苦笑いした。「お母さん、オヤジの携帯はまだ解約してないんだろ。だったら、携帯持って行きなよ。連絡さえ付けばどこにいたって安心だからさ。ゆっくり考えて、結論出しな」

逆に彰之に送り出されたのか、と癪に思わないでもなかったが、敏子は意地を張って表に出た。住宅街は真っ暗で、誰も歩いていない。午後十時過ぎに、たった一人で見知らぬ街に向かうなんて、生まれて初めての経験だった。敏子はとぼとぼとバス停に向かった。花の匂いのする夜気の中を一人歩いていると、寂しくて堪《たま》らず、自然と涙がこぼれそうになった。しかし、彰之に半ば勧められた形で「家出」した以上、戻ることは意地でもできない。まるでアメリカに行った時の彰之と同じではないか。敏子は苦笑していた。

第四章　人生劇場

敏子は立川駅で降り、カプセルホテルに向かった。目当ての女性専用カプセルホテルは、駅から五分近く歩く、街外れのビルの中にあった。飲食店やカラオケ店、サウナなどが入った雑居ビルだ。ビル中に嬌声《きょうせい》やカラオケの音がわんわんとこだましてうるさい。これほど雑駁《ざっぱく》な場所だとは思ってもいなかった。引き返して駅前の小綺麗《こぎれい》なビジネスホテルにしようか、と迷っていた敏子に、声がかけられた。

「乗りますか」

太めの若い女が、エレベーターのボタンを押しながら、首だけ突き出して敏子に尋ねていた。慌《あわ》てて、敏子は駆け込んでしまった。女が四階を押したので、敏子はこんな若い女もカプセルホテルに泊まるのか、と驚き、こっそり観察した。茶色に染めた髪をアップにし、黒いジャンパーにジーンズ、斜めがけのバッグ、という格好は旅をしている風でもない。エレベーターが四階に着くと、女はさっさと先に出た。

全体的に照明が抑えられているフロアは、目の前に靴箱らしいロッカーが設《しつら》えられている。左のスペースにビニール製の黒のソファセット、その奥は廊下が延びて、茶のドアが二メートル間隔で並んでいた。ここがカプセルホテルなのか。狭くはあるが、予想外に清潔で安全そうなので、敏子は安堵《あんど》した。

右手のコーヒー自販機の対面に、病院の受付そっくりな、小さなフロントがあった。風呂場《ふろば》が近くにあるらしく、フロア全体に湯の匂《にお》いが漂っていた。濡《ぬ》れた髪をタオルで巻いた若い女が洗濯物を手にして、のんびり歩いている。温泉場に来たみたいで、気持ちがほぐれた。

エレベーターで一緒だった若い女が慣れた様子で金を払い、フロント越しにキーを受け取っている。真似《まね》をして、敏子もフロントの前に立った。

「いらっしゃいませ」まだ二十代と思《おぼ》しき若い男が、敏子の顔を一瞥《いちべつ》して事務的に言った。「一泊四千円です。前金でお願いします」

反射的に財布から金を出し、プラスチックのプレートが付いたキーを受け取った。

「靴はロッカーに入れてください。風呂場はこの先の左手です。部屋はエレベーターの左側。チェックアウトは十時。よろしいですか」

「あのう、二泊します」

一泊で帰るのも悔しくて、敏子は更に四千円払った。とりあえず二泊三日の家出である。

敏子は靴をロッカーに入れてスリッパに履き替え、自分の部屋のドアを開けた。どうせ蚕棚《かいこだな》のようなベッドだけだろう、と思っていたら、予想に反して個室の態《てい》を成している。たった三段の梯子《はしご》が付いた箱型の狭いベッドと、その横に小さな机と椅子《いす》。机の上にはテレビまで置いてある。二畳分くらいしかない狭さだが、居心地は悪くない。

敏子は、机の上にバッグを置き、椅子に座ってみた。目の前が窓で、ブラインドの隙間《すきま》から、駅前の繁華街のネオンの点滅が見えた。電気スタンドを点《つ》け、頬杖《ほおづえ》を突いてみる。勉強机の前に座っているみたいで、懐《なつ》かしかった。中学生の頃に戻って、センチメンタルな手紙や日記を書きたい気分になる。こうしてみると、一人で机に向かう生活など、三十年以上もしていないことに気付く。旅に出ても、いつも誰か一緒だった。夫の隆之か、女友達の誰か。一人でいるということは、寂しいけれども、こんなに自由なのだろうか。

突然、バッグの中の携帯電話が鳴ったので、敏子はうろたえた。出がけに、彰之から夫の携帯を持たされたことをすっかり失念していたのだ。

「お母さん、今どこにいるの」

美保からだった。

「どこって」

敏子は言おうか言うまいか迷って、部屋を見回したが、せっかちな美保が「栄子さんのところにいるの？」と畳みかけてくれたので、これ幸いと誤魔化《ごまか》した。

「そうそう」

「兄貴が、お母さんがプチ家出したって言うんでびっくりしちゃった。何で家出したの」

「家出ってほどじゃないわ。いろんなことがあって、何が何だか訳がわからなくなったから、一人で考える時間が必要じゃないかと思ったのよ」

「それがいいと思う。断っておくけど、兄貴と一緒に住む話だったら、あたしは反対だからね。お母さんが兄貴と同じ気持ちだって聞いてショックだったわ。だって、そうしたら、あたしが実家に戻りにくいじゃない。それに兄貴一家だけ得するの変だと思う。あたしはね、お母さんがずっと一人であの家で暮らしててほしいの」

そうしたいのはやまやまだが、美保の言い分もまた勝手に聞こえるのだった。

「でも、彰之たちは住むところがなくて困ってるのよ」

「それは兄貴たちの勝手じゃない」

「あなたの言い分も勝手に聞こえる」

「どこがあ。あたしはお母さんが可哀相《かわいそう》なだけなのよ。お父さんが死んだのだってショックなのに、何で突然アメリカから帰って来ちゃった兄貴たちの面倒まで見なくちゃならないの。信じられない」

美保は、やはり怒りが収まらないらしい。敏子は嘆息した。子供たち同士が紛糾することに、心底疲れを感じる。

「美保」敏子は娘の名を呼んだ。「ともかく、私はこれから一人で生きて行かなくちゃならないの。それだけは現実なのよ、そうでしょう。だから、彰之の言うことにも一理あるのよ」

「そうだけどさ」

美保は急にしんとした。敏子の必死な思いが伝わったとみえる。

「でもね、お母さん。あたし思ったんだけどさ。お母さんがこの先一人とは限らないと思うよ。再婚とかだってあり得るじゃん」

再婚。そんなことを彰之も洩《も》らしたことがあったと思い出す。伴侶《はんりょ》の死の経験とは、孤独なものだとつくづく思うのは、こういう瞬間だった。我が子だとて、真の共感は得られないのだ。今の自分にどうしてそんな先のことまで考えられるだろうか。敏子は、一人で逞《たくま》しく生きる栄子に、尊敬すら覚えるのだった。自分は我が子のひと言ですら、すぐに気が挫《くじ》けてしまうのに。

「私はすぐ戻るから心配しないで」

敏子はやっとのことで言い、操作に慣れない覚束《おぼつか》ない手付きで電話を切った。電話を切った途端に、寂しさが前より強く蘇《よみがえ》ってきて、敏子は縋《すが》るように携帯電話を眺めた。しかし、もう誰もかけてきてはくれないだろう。敏子は、携帯電話をそっと机の上に置いた。携帯電話のデジタル表示が十一時を告げている。そろそろ風呂に入って寝るとしよう。

部屋を出たら、ちょうど隣の部屋のドアが開き、先程の若い女が現れた。濃い化粧をして、スカートに穿《は》き替えている。女が軽く会釈《えしゃく》したので、敏子は思い切って話しかけてみた。

「どうも、先程は」

いいえ、と若い女はドアに鍵を掛けながら、微笑《ほほえ》んだ。

「地方からいらしたんですか」

「いや、これから友達とオールで飲みに行くんで、寝るとこだけは確保しとこうと思って」

なるほど。敏子は感心した。若い人は、自分が想像もしていなかった方法で人生を楽しんでいる。家庭に閉じ籠《こ》もっている間に、女たちも世間も、大きく様変わりしていたのだ。

敏子は着替えを持って風呂場のドアを開けた。広い脱衣場の隅に、洗濯機と乾燥機が二台ずつ置いてある。ガラス戸の向こうに裸身がひとつ透けて見えた。先客は驚いたことに、老女だった。七十歳をとうに超えているようだ。先方も敏子を見て、体を洗う手を休めた。

「失礼します」

敏子の挨拶《あいさつ》に、老女は異様にゆっくりと頭を下げた。髪をショートカットにして、皺《しわ》だらけの茶色い顔をしている。が、大柄なので堂々と見えた。

「珍しいこと。ここは若い人ばっかり」

「そのようですね」

老女は目を眇《すが》めて、敏子の顔を見た。

「あなた、お一人？」

「はい、カプセルホテルってどんなところかと思って泊まってみました」

「こんなところです。かーいてき」

老女はそう言って、泡だらけの手で風呂場全体を指し示した。敏子が体を洗い始めると、老女が尋ねた。

「ところで、あなた、お幾つ」

「五十九になったばかりです」

まさか還暦前に夫を失うとは思わなかったのだ、と付け足したいのを堪《こら》える。お若いのね、と呟《つぶや》き、老女は立ち上がった。腰と片足が不自由らしく、洗い場の縁に摑《つか》まって、危なっかしい足取りで湯船に向かう。滑らないかと敏子はひやひやした。老女の腕を取って助けると、歩行するために恐ろしいほどの力が漲《みなぎ》っているのが伝わってきた。形相《ぎょうそう》も必死だ。敏子の助けで、老女は湯船にやっと入った。

「すみませんでした。腰を打ったら脚が駄目になってしまいましてね。歳取《とし》って怪我《けが》すると、たーいへん。おつむも少し変になったかしらね」

物言いがのんびりしているが、湯気の中からでも、顔が曇っているのがわかった。敏子は目を逸《そ》らし、洗い場に戻った。老女がまた話しかけた。

「あなた、どうしてこちらに泊まろうと思ったの。よかったら教えてちょうだい」

「いろいろありまして、一人で考えてみようかと思ったのはいいんですけど、こういうところに来てみると、世の中って全く変わってしまったんだなとびっくりして。まだ何も考えられない状況なんです」

我ながら、しどろもどろの説明だと恥ずかしくなった。話したい気持ちはあるのだが、見ず知らずの人間にどこまで話していいのか、加減がよくわからないのだった。隆之が亡《な》くなって以来、世間というものと直《じか》にぶつかっている気がする。自分をくるんでいた繭《まゆ》がなくなって、雨や風が直接体に当たる感触がある。

「何があったか知らないけど、もうどうにでもなれ、と思うのは、決して良いことじゃないわよ」

老女は、少しピントがずれていると感じられるほどゆっくりと喋《しゃべ》った。敏子は体を洗い終え、湯に入った。ぬるめだが、清潔で気持ちが良い。老女が突然、独りごとのように喋り始めた。

「あたしは、昨年、いろんなことがありましてね。あたしの話を聞かれたら、歳を取るのって本当に嫌だ、と思われますよ。でも、聞いた方がいいでしょう。だって、あなたの方がお幸せそうですから。あたしの主人はね、名古屋で飲食店のチェーンをやってましてね。一時、とても成功したんですの。知多《ちた》半島に別荘まで買いましてね。年に何回も海外旅行して、それは楽しく暮らしました。でも、見事に引っ繰り返りました。主人の甥《おい》が輸入健康食品の事業を始めたいと言うので、保証人になったんですよ。南米産のサンバダケとかいうキノコのエキスだっていうから、あたしは反対したんですけどね。主人は気にも留めませんでした。余裕があるというのは、暗闇《くらやみ》を目隠しで歩いても何にもぶつからないと思い込んでしまうことなんでしょうね。甥の事業はすぐに失敗しました。結果、山のような借金を背負い込むことになりましてね。家も別荘も売り払い、会社も人手に渡りました。あたし共も、山の中の一軒家に移り住むことになったんです。あなた、家賃三万以内の一戸建てなんて山の中にしかないのよ。何で一軒家だったかと言うと、これが可愛《かわい》い柴《しば》犬を飼っていたからなの。ペスという名前でね。後で、写真お見せします。あたし共、子供がおりませんので、犬は子供の代わりだったんです。ある日、主人が倒れました。心筋梗塞《こうそく》でした。それからお定まりの入退院の繰り返し。すっからかんですよ、あなた。タクシーで病院に行かなくちゃならないんですもの。家主さんに交渉して家賃を下げていただいたのに、その家賃さえ滞納するようになりました。あたしは雨の日も山道を自転車漕《こ》いで、安い店探して買い物行きましたよ。辛《つら》かったです。そのうち、主人が死んだらあたしも死のうと思うようになったんです。だって、お金がないんですから生きていたってしょうがないでしょう。山の中は寂しくて、気が滅入《めい》るんですよ。かといって、名古屋にはもう二度と住めません。引っ越す費用がないんです。去年、とうとう主人が亡くなりました。あたしは葬式を済ませたその日、家の鴨居《かもい》に縄を掛けて首を吊《つ》りました。ところが、ペスがわんわん吠《ほ》えて、あんまりうるさいんで、近くの奥さんが見に来たんですよ。それで人事不省になっているあたしは発見されたんですが、慌てた奥さんがあたしを下ろす時に縄を切ったために、あたしは骨折です」

「それからどうなったんですか」

言葉を切って、ぼんやりと湯気の向こうを見遣《みや》る老女に、敏子は遠慮しつつも問わずにはいられなかった。

「ご覧の通りです」

老女は自分の体を指さした。

「と、仰《おつしや》いますと」

「あたしは生きております。でも、腰骨を折りましてね、病院に運ばれました。意識を取り戻したのは、次の日でした。目を開けたら、白いものがひらひらしているのが見えたので、ここは天国かしらと嬉《うれ》しくなったの。でも、それは仕切りのカーテンが風で揺れている様でした。まだ、生きてるんだ、助かってしまったんだと知った時の落胆といったら、あなた、誰にもわからないでしょうね。お医者さんも、看護婦さんも、あなたは運がいいよって仰いましたけど、それは違います。だって、あれだけ長いことかかって覚悟して、えいやっと椅子を蹴《け》ったのに、命があるんですからね。すぐに警察の人が見えましたよ。あたしは真っ先にペスのことを聞きました。ペスはどうなりましたかって。そしたら、保健所送りだって言うじゃありませんか。主人は亡くなり、あたしは入院。誰も世話する人がいない、という理由でした。頼みにしていた大家さんも、家賃は滞納するし、他にも犬を飼っているしで、保健所送りに賛成したそうです。あたしは初めて後悔して泣きましたよ。ペスに何て可哀相なことをしたんだろうと。命を助けてくれた犬だというのに、助けられた方はそれを恨み、犬は死んでいく。何てことでしょう。泣き明かしました。大部屋の他の人に聞こえないように、声を殺してね。そしたら次の日の朝、シッセイしてしまったんです」

「あの、シッセイって何ですか」

敏子はおずおずと尋ねた。

「声が出なくなっちゃったんですの」

老女は淡々と答えた。それで、異様にゆっくり話すのか。敏子は返す言葉もなかった。知り合いにも友人にも、老女ほど悲惨な経験をした者はいない。のぼせて汗がだらだら流れるのも構わず、呆然《ぼうぜん》とした。老女が細い手で敏子の腕に触れた。

「お願いがありますの。あたし、上がりますから、手伝ってくださいますか」

敏子は老女が風呂から出て、脱衣場に行くまで手を貸した。老女はプラスチックの脱衣籠《かご》にふわりと入っていたガーゼの浴衣《ゆかた》を羽織った。浴衣はくたびれた代物《しろもの》だった。

「ありがとうございました」

老女は礼を言い、景品らしい薄いタオルを丁寧に畳んだ。櫛《くし》も持っていないのか、髪を手で撫《な》で付けて、茶色い顔を上げた。

「あなた、ご親切ですこと。あなたみたいな人が一人でも近くに住んでいたなら、あたしもあんな馬鹿《ばか》なことはしなかったと思いますよ。だから、最初に申し上げましたでしょう。もうどうにでもなれ、と思うのは良くないと。自棄《やけ》になって飛び越えた柵《さく》の向こうは、地獄ですの」

敏子は老女の話に夢中で、洗髪することを忘れているのに気付いた。のぼせていたはずなのに、鳥肌が立っているのは、話に衝撃を受けたせいだった。老女が優しく言った。

「もう一度お入りになったら。寒そうですよ」

敏子は素直に風呂場に戻った。洗髪しながら、涙が出て止まらなかった。歳を取るのは嫌なことだ。しかし、人間は平等に歳を取り、やがて死んでいく。この先、どんな運命が自分を待ち受けているのだろうか。考えるだけでも怖かった。

風呂を済ませて部屋に帰ろうとすると、自販機の前にあるソファで、先程の老女が休んでいた。

「大丈夫ですか。長湯なさって」

敏子は思わず声をかけた。老女は頭を下げた。

「はい、お蔭様《かげさま》で気持ち良かったですよ。すみませんでした、あんなお話を聞かせてしまって」

「とんでもないです」

老女が声を潜めた。

「一万でいいですわ」

いったい、どういう意味だろう。敏子は額を流れる汗をタオルで押さえた。

「奥さん、優しいから一万でいいです」

「あの、何のことでしょう」

「話代っていうのかしら。あたしの経験を聞いて、奥さんもいろいろ考えることがあったでしょう。だから、その分をいただきますよ」

「お金を払うんですか」

さすがに釈然とせずに、聞き返した。老女は澄まして頷《うなず》いた。

「あたしはいつもこう思うんですよ。無料で他人様《ひとさま》の惨《むご》い経験を味わうのはおかしいと」

わかりました、と敏子は部屋から財布を取って来た。中から紙幣を取り出し、老女に渡す。老女はちゃっかりと受け取って頭を下げた。

「ありがとうございます。あと一万円くれたら、あなたのお話も伺いますよ。話したいことが沢山あるんでしょう」

敏子は絶句し、這々《ほうほう》の態《てい》で、自室に戻った。見回せば、畳二枚もないほどの暗くて狭い、寝るだけの空間だ。それでも、危険な外界から安全な住処《すみか》に逃げ込んだ感があった。自分がか弱い小動物になった気がする。敏子は、老女の話や、金を請求されたこと、そして自分が払ってしまったことを考えるのが嫌で、小さなテレビを点けた。ニュース番組をやっていた。風呂上がりの隆之と、毎晩一緒に見た番組だった。敏子がその日のニュースに泣いたり怒ったりするので、隆之がよくからかったものだった。

『敏子、テレビなんか信用するんじゃないよ。真実なんか、誰にもわかりっこないんだから。隆之に守られて、お前は単純だなあ』

本当に世間知らずでも生きてこられた自分。だが、隆之が長年付き合ってきた伊藤昭子は、自分より遥《はる》かに世間を知っていた女だった。だからこそ、隆之は人生最後の日を昭子の家で過ごしたのかもしれない。隆之は、昭子によって何を癒《いや》されたのだろう。賢い昭子だったら、老女の話を聞いてあげたとしても、自分のように付け込まれなかったに違いない。何て馬鹿な私。敏子は砂漠の国で起きた爆弾テロ事件の映像に顔を背《そむ》けた。黒いベールを被《かぶ》った女が、泣き叫んでいたのだ。湯気の中でふっと顔を曇らせた老女の眼差《まなざ》しが重なった。

もう泣けるだけ泣いたはずなのに、突然、涙が込み上げてきた。寂しくて堪《たま》らない。悲しくてしょうがない。こんなことなら、家に居ればよかった。が、その家だって、近い将来は彰之一家がやって来て、我が物顔に暮らす。どうしてこういう事態になってしまったのか。涼しい顔で先に逝《い》った隆之までが憎く感じられ、敏子は、声を上げて泣いた。どのくらい泣いていただろうか。密《ひそ》やかなノックの音がした。

「お客様、お客様」

男が低声《ていせい》で囁《ささや》いている。驚いた敏子は、手にしたバスタオルで涙を拭《ぬぐ》い、ドアを振り返った。男の声は続いた。

「お客様、すみません。よろしいでしょうか」

泣き声があまりにも大きかったのかもしれない。敏子はばつの悪い思いで、ドアを細めに開けた。薄暗い廊下に、中年男が立っていた。安っぽい黒のスーツに皺だらけの臙脂《えんじ》色のネクタイ。ホテルの人間らしい。白い名札に「野田」とある。

「お取り込み中のところ、大変恐縮です」野田は敏子の目を見ずに、何度も頭を下げた。「私はマネージャーの野田と申しますが、周辺のお部屋のお客様から、クレームが来ております」

野田は敏子の泣き顔を見て照れ臭いのか、咳《せき》払いをして続けた。

「あのう、もう少々、お声を抑えていただけると大変有難いんですが」

敏子は恥ずかしくなって、バスタオルで口許《くちもと》を隠しながら謝った。

「申し訳ありません。つい、悲しいことを思い出してしまったものですから」

野田は慌てて両手を振った。

「いいえ、いいんですよ。何をなさろうとお客様の自由ですから。ただですね、当方の施設は壁ではなくて、間仕切りでしかないとお考えいただきたいのです」

野田は恐縮した様子で、ぼこぼこと壁を叩《たた》いた。確かにベニヤ板のような薄い仕切りだった。しかも、天井と壁の間に僅《わず》かに隙間《すきま》がある。これでは音は筒抜けだ。

「あら、本当だ」

野田は馬鹿丁寧に言った。

「カプセルホテルというのはですね。この簡便さでもって、お部屋を安いお値段で、安全にご提供できるという仕組みになっておりますので、その辺をご理解いただいた上でのご利用となっております。ご承知いただけますでしょうか」

敏子は真顔で尋ねた。

「あのう、泣くなら、もっと高いホテルに行けということでしょうか」

野田はびっくりしたように目を丸くした。

「いえ、そうは申しません。是非、ご利用いただきたいと思います」

声を殺して泣け、ということか。敏子は可笑《おか》しくなって、思わず笑った。言った野田も、笑って頭を掻《か》いている。頭のてっぺんの毛が薄くなっていた。小柄で痩《や》せ気味。何とも風采《ふうさい》の上がらない男だった。

「お客様、お部屋は狭いでしょうから、よろしかったら、ロビーで気分転換でもなさったらいかがですか」

野田がソファを指さした。覗《のぞ》いてみると、風呂で会った老女の姿はない。

「はい、そうします」と、敏子は勧めに従って部屋を出た。薄暗い廊下はしんと静まり返り、耳を澄ますと微《かす》かに鼾《いびき》すら聞こえる。

「お客様が先程、話されていた方ですが」

野田が声を潜めて言った。先刻二人が話しているのを、どこからか見ていたのだろう。敏子は顔を上げた。

「あの方は、こちらに長く滞在されている方なんです」

風呂場には洗濯機も乾燥機もある。女が長逗留《ながとうりゅう》するにはもってこいの場所だった。

「ずっと居てもいいんですか」

敏子は幼児のような質問をした。

「勿論《もちろん》です。問題さえなければ」

野田が真面目《まじめ》な顔で答える。フロントには、敏子がチェックインした時に応対した若い男の姿はない。野田が夜勤として交代したのだろう。敏子は疑問を口にした。

「お風呂であの人と会って、お話を伺いましたが、あれは本当のことなんでしょうか」

野田は首を傾《かし》げた。

「おそらく本当でしょう。お金を巻き上げられたと、文句を言いに見える方もいらっしゃいますが、当方としては個人の自由ですから、どうにもね」

私も巻き上げられたのだ、と訴えたくなったが、敏子は口を噤《つぐ》んだ。自ら、人が好《い》いと証明するようなものではないか。

「私はフロントにおりますので、何かありましたらご遠慮なく」

野田は無人のフロントを手で示し、微笑んで去った。

気を取り直した敏子は、自販機でウーロン茶を買おうと思いながら、迷った挙句に、コーラを買った。最近は、甘い清涼飲料水など滅多に飲まない。なのに、無性に飲みたくなった。敏子はソファに腰を下ろし、目を閉じてコーラの缶に口を付けた。冷たく甘い液体が音を立てて溢《あふ》れ、喉《のど》を通り過ぎていく。初めてコーラを飲んだ中学生の頃を思い出した。あの時の自分が夢ばかり抱いていたかというと、そうではない。将来が怖かったし、自分に自信もなかった。同じことなのだ。もう一度やり直すのだ、人生を。敏子の中に、ほんの少し強い意志が芽生えた気がした。存分に泣いたせいか、何とか眠れそうな気がする。

翌朝、敏子は寝坊した。体が重くて、どうしても起きられなかったのだ。箱形の硬いベッドに横たわり、天井を見上げている。

あなた、私カプセルホテルに一人でいるのよ。信じられないでしょう。私も信じられない。あなたは、私の知らない世界を持っていたのね。それも仕方ないことなのかもしれないわ。私は暢気《のんき》過ぎたものね。私もこれから、あなたとの世界以外のものを探して生きていかなきゃならないのかしら。荷が重いわ。

敏子はぶつぶつ呟いた。この二日間は、普段しないことをしてみようと思っている。それだけでも勇気を振り絞る自分を発見したばかりだ。

洗面を済ませて風呂場を覗いたら、昨夜の老女が湯船の中で若い女と話しているのが見えた。新しいカモだろうか。昨夜は一万円払ったことが理不尽に感じられたが、『無料で他人様の惨い経験を味わうのはおかしい』と言った老女の言葉も正しいような気がしてくる。

敏子は化粧をした後、駅前に出て本屋を冷やかし、それから平凡な中華料理店に入った。前の席の中年サラリーマンが、ザーサイをつまみに生ビールを飲んでいた。敏子は、昼間にアルコールなど滅多に飲んだことはない。ビールの小瓶と、キクラゲと卵炒《いた》め定食を注文し、敏子は自分のことを考えている。飲めない口でもないのに、なぜ昼間のアルコールを避けていたのだろう、と。栄子や美奈子、和世たちと食事をする時、栄子と美奈子は必ずビールやワインなどを飲んでいた。和世は一滴も飲めないから除くとしても、なぜ自分はそうしなかったのだろう。

隆之に遠慮していたせいだった。隆之が会社で働いていることを思って躊躇《ためら》われたし、退職後も、家で待っているかと思えば、顔を赤くして帰宅するのはどうしても気が引けた。同じ専業主婦でも、美奈子は平気で友人との食事を楽しんでいる。どうして、自分はそれを申し訳なく思ったりしたのだろう。隆之は十年間も自分を裏切っていたのに。またしても行き着く、そのこだわり。

敏子は運ばれて来たビールを呷《あお》った。サラリーマンの男を手本に、ザーサイも頼んだ。小瓶一本はすぐ空き、二本目を注文した。時計を見たら、まだ昼前だった。しかし、小気味よかった。酔ったら、カプセルホテルの部屋に戻って、寝ればいいのだ。赤い顔を誰に咎《とが》められることもないし、夕食の支度をしなくては、と気を揉《も》むこともない。もう誰に遠慮しなくてもいいのだ。一人で生きることは、気を遣わずに生きられることでもある。

定食を食べながら、敏子はふと、自宅を売却してしまおうかと思い付いた。売って、法定相続する。彰之が洩らしたではないか。『お母さんは半分の二千五百万』と。二千五百万もあるなら、年金と合わせて何とか生きられないだろうか。辛抱強く仕事を探せば、いつかは何か見付かるに違いないし。たったの二千五百万とは思えなかった。自分は恵まれている。それは昨夜、風呂場で老女の話を聞いたからだと気付き、敏子は一人苦笑した。少しは金を払った価値があったというものだ。

中華料理店を出た後、敏子はぶらぶらと繁華街を歩いた。映画館の前で、若者が十数人、列を作って並んでいた。映画は『ロード・オブ・ザ・リング』だ。敏子は立ち止まって、ポスターを眺めた。原作が『指輪物語』だと知り、懐かしく思った。

中学生の頃、雑誌のペンパル募集に応募したことがあった。その時、紹介されたアメリカのペンパルと数年間文通していた。相手の手紙に、読書が趣味で、特にトールキンという作家の『指輪物語』が大好きだ、と書いてあった。敏子は、返事を書くために、勇んで図書館に行ったのだが、『指輪物語』はまだ訳されていなかった。それを知って、当時は大層がっかりしたものだ。ペンパルの女の子は何という名前だっけ。確か、スーザンではなかったか。ミネソタ州在住で、兄が二人。父親は会計士。たった数年で途絶えてしまった文通だが、スーザンも恙無《つつがな》く五十九歳になっただろうか。

夢も希望も不安も悩みも、それぞれにいっぱい抱えていた少女時代から、あっという間に四十五年の月日が経《た》った。年齢を経れば経るほど成熟し、迷いのない人生を送ることができる、と漠然と信じていたが、今が最も思い惑っている気がする。人生は、ままならない。

そんなことを思いながら、敏子は列の後ろに付いた。若者たちがちらりと好奇の視線を寄越したが、敏子は気にせずに自分の手を眺めた。節の目立つ、年齢相応の手。つくづく歳を取ったと思う。なのに、家を出た途端、中学生の頃の思い出が次々に蘇ってくるのが不思議だった。

映画は、予想より遥かに面白かった。敏子は満足して、映画館を出た。すでに日が暮れかかり、家出二日目の夜を迎えようとしている。敏子はコンビニに寄り、缶ビールと弁当、海苔煎餅《のりせんべい》、ミカンなどを籠に入れた。買い物中も、普段しないこと、とおまじないのように唱えている。雑誌の棚から、自ら買ったことのない女性週刊誌を二冊取った。栄子が愛読している雑誌だ。夜はベッドに寝転んで、だらしなく過ごすつもりだった。そして、自分の結論を出す。

カプセルホテルのビルに入って行くと、野田とばったり会った。野田は出勤してきたばかりらしく、私服姿だった。平凡な灰色のジャケットに、白いシャツ。夕刊を丸めて手にしている。昨夜は、薄暗い廊下で見たから、年の頃はよくわからなかったが、肌の色艶《いろつや》は、まだ四十代のようだ。野田はエレベーターの階数表示をぼんやりと見上げていた。敏子は躊躇いを捨てて話しかけた。

「昨日はご迷惑をかけてすみませんでした」

振り向いた野田は、きょとんとしている。敏子が誰か気付かないらしい。無理もない。昨夜の敏子は、風呂上がりのざんばら髪で、しかも泣きじゃくっていたのだ。あれほど醜く無防備な姿を、他人に見せたことはない。

「あの、夕べ泣いていたのは、私なんです」

野田は驚いたように、敏子の顔を覗き込んだ。

「ああ、そうでしたか。すみません、見間違えました。今日は、とてもお綺麗なので」

私が綺麗？　思いがけない言葉を聞いて、敏子はうろたえた。隆之からも一度だって、綺麗と言われたことはない。敏子の服装や化粧には無関心だった。新婚当初も、ごく稀《まれ》に、可愛いと言われたことはあっても、綺麗と褒められたことはなかった。綺麗という言葉は自分に縁のないものだと思っていただけに、敏子は赤くなった。

「お元気になられましたか」

野田は開いたエレベーターのドアを押さえて、優しく聞いた。

「はい、昨夜のようなことはないと思います」

「それは良かったです。安心しました。やはり、いろいろなお客様がいらっしゃいますからね。私の職場は人生劇場ですよ」

好人物そうな野田はそう言って、階数ボタンを押した。

「昨日、お風呂でお会いした方のお話もそうですね」

「ああ、宮里さんね。他にもいろいろユニークな方がいらして、面白いですよ」

風呂で会った老女は、宮里という名前らしい。野田は、敏子の格好をちらりと眺めた。

「今日はお出かけなさったんですか」

「はい、映画を見ました。『ロード・オブ・ザ・リング』というのを」

「ああ、アカデミー賞の。僕も見たいなあ。子供向けかと思って敬遠してましたけど、案外、そうでもないんですってね。時間があれば、本も読みたいし、映画も見たいと思うんですけどねえ」

敏子は、野田ともっと話したくなった。野田は、昨夜の敏子のように心乱した人間を鬱陶《うっとう》しがるでもなく、好奇心を剝《む》き出しにして質問攻めにするでもなく、ほど良い親切心で接してくれそうだ。おばさんと馬鹿にしないし、綺麗と褒めてくれたことも嬉しい。だから、敏子はエレベーターが四階に着いて扉が開いた時、とても残念な気がした。

「私はフロントに詰めていますので、何かあったら、どうぞご遠慮なく」

野田はそう言って、従業員専用ドアから姿を消した。ロビーでお茶でも、と誘ってみようかと迷っていた敏子は、少々落胆した。だが、ロビーには、すでに先客がいた。

「お帰りなさあい」

ゆっくりした物言い。宮里だった。くたびれた茶色のセーターと灰色のジャージ、スリッパ履きという姿で、テーブルにパック入りの総菜を何種類か広げて食べていた。水のペットボトルに入っている液体は緑色をしているから、茶を入れて持ち歩いているらしい。宮里は敏子の提げたコンビニの袋に目を遣《や》った。

「あなた、それお食事?」

「はい。昨日はどうもありがとうございました」

敏子は一応、礼を述べた。

「こちらこそ、すみませんでした」

金のことを言っているのか。敏子は目を伏せたが、宮里は真剣な顔で頭を下げている。存外、悪い人間でもないのだろう。

「あなた、こちらで召し上がれ。お部屋じゃ狭いでしょう」

敏子は、声をかけられて拒むことが、できない質《たち》だった。「では、お言葉に甘えて」と、横に腰を下ろした。一人でのんびり食べたかったが、ここに居れば、野田が通りかかって、話すチャンスもあるかもしれないとも思う。野田が言った「人生劇場」という言葉に、心がざわめいていた。もっと野田の話が聞きたいし、自分の話を聞いて貰《もら》いたかった。見ず知らずの人間に、そんなことを思ったのは初めてだ。

「今日は何をしていらしたんですか」

敏子は宮里に聞いた。少々、突っ込んだ質問かと思ったが、カプセルホテルに長逗留しているという宮里の日常に好奇心が募っていた。

「あたしは、日がな一日、原稿を整理しておりました」

宮里は、茶をひと口飲んだ。

「原稿を書いてらっしゃるんですか」

敏子には意外だった。

「自分史なんて言いますと、大袈裟《おおげさ》で恥ずかしいですけど、あなたの人生について書いてみたらどうか、とある人に勧められました。あなたの経験は凄《すさ》まじいから、是非、書き残した方がいいと、ね」

宮里は敏子が弁当に手を付けないのを見て、勧めた。

「あら、あなたどうぞ召し上がってください」

敏子は幕の内弁当を食べ始めた。構わず、宮里は喋り続けている。敏子は、また金を取られるのかと心配になったが、宮里の体験談には、耳を傾けずにおれない凄味《すごみ》があった。

「あたし、ゆうべはどこまで話しましたでしょうか。確か、失声したところまででしたよね。あのね、失声と言いましても、囁くような声で喋ることはできるのです。でも、言いたいことを告げるには非常に苦労します。あたしは、これは自分の意思を何ひとつ出すなという神様の思《おぼ》し召しに違いない、と思いました。ですから、亡くなった主人のことも、ペスのことも一切語るまい、と誓って、胸に秘めたのです。あたしは主治医の先生にも、看護婦さんにも、自分の身に起きたこと、あたしの決意など、何ひとつ申し上げませんでした。

そうしましたら、あたしの心が窮屈さに音《ね》を上げたのでしょうね。今度は、記憶喪失になってしまったんです。それも、前に何が起きたのかわからないだけではなくて、朝食べた物まで、いいえ、食べたことさえ忘れてしまったの。腰骨を折って寝たきりですから、当然、アルツハイマーを疑われますわよね。専門の先生方が呼ばれていらっしゃいました。いろいろなテストをされましたよ。でも、あたしは口を利《き》かずに、ベッドに横たわっておりました。早く死んでしまいたい一心でした。そうでしょう、あなた。あたしを待っている人間なんて、どこにもいないのはわかっていますし、何が起きたかという記憶の詳細はなくなっても、悲しい気持ちだけは心に充満しているのですから、こんな辛いことはありません。そうこうして、二カ月くらい経った頃、あたしのベッドの横に一人の人間が立ったんですよ。思いがけない人。誰だとお思いになる」

宮里は敏子の方を見た。

「さあ、見当が付きませんが」

「その人は、『僕が誰かわかりますか』と言いました。突然、あたしの中で記憶がばーっと蘇ったのです。あたしは大声で叫んでいました。バ、バ、バカヤローって。同時に声も戻ったんですの。甥だったんです。姿を消していた甥が、七年ぶりに現れたんですの」

「まあ」思わず敏子が声を上げると、宮里はちらりと敏子の反応を見て満足そうに頷いた。

「甥はあたしの前で土下座しましてね、号泣しましたよ。あたしは、この世で甥と会うことがあったら、こう言おう、ああ詰《なじ》ろう、と想像はしていたんですけどね、実際、甥を目の前にしたら、もう何も言えませんでした。よく考えてみれば、夫が亡くなったのも天命ですし、ペスが死んだのも、こんな事態になったのも、あたしのせいなんです。あたしが悲観して、この先どうなってもいいと思った心持ちが間違っていたんですよ。あたしは甥を赦《ゆる》しました」

「そうですか、それは良かったですね」

「良かあないですよ」

宮里は敏子を睨《にら》んだ。敏子は安易な同意だったと、身を縮めた。宮里は力を抜き、穏やかな声で言った。

「すみません、つい。ただ、甥を恨んだところで仕様がないと気付いたのです。あたしは夫とペスのことだけを思って、天寿を全うするしかないのだと、やっと覚悟が決まったんです。死なないで最後まで生きる。それは一度絶望したあたしにとって、壮絶な決意でしたよ」

宮里が持参したペットボトルの茶を飲んだ。敏子はおずおずと尋ねた。

「あのう、原稿を書いたらどうだ、と勧めたのはどなたなんですか」

「ここの支配人さんですよ」

宮里はフロントの方を指さした。敏子は驚いて聞き返した。

「野田さんですか」

「そうです、よくご存じですこと。野田さんはね、俳句の結社をやってらっしゃるんですよ。野田さんは、この場所であたしの話をそれはそれは熱心に聞いてくださいましてね。それだったら、いっそご自分の過去を見つめてみたらいかがですか、と仰ったんですよ。ご自分のことを文章に表してはどうか、と」

あの風采の上がらない野田が俳人とは。敏子は息を吐いた。世の中には様々な人がいるものだ。家から一歩外に出れば、人間の生活というものがひとつとて同じものはないと知らされる。いや、同じ人間が存在しないのだ。当たり前のことなのに、似たような境遇の友人や、勝手知った近所の人々としか交流がないから、一人一人違うということまで考えが及ばないのかもしれない。敏子はめくるめく思いだった。

宮里は聞きもしないのに、野田の話をした。

「野田さんは昔、都内の一流ホテルにお勤めだったそうですよ。そこで組合活動の闘士となられてね、会社とさんざんやり合ったんだとか。そのことでホテルに居られなくなって、あちこち渡り歩き、いろんなご商売に手を染めて、失敗や成功を繰り返して、やっとこちらに落ち着いたとか。あの人もああ見えて、苦労人なんですよ」

宮里は愛《いと》おしそうにフロントを振り返った。だから、あんなに人当たりが良いのか。敏子はますます野田が気に入った。宮里は、食べ終わった弁当パックを片付けている敏子に尋ねた。

「ところで、あなた。お名前は」

「関口敏子と申します」

「お歳は」

風呂の中で伝えたはずなのに、と思ったが、敏子は素直に答えた。

「五十九歳です。来年還暦になります」

「まだ、お若いわ。あなた」

宮里が羨《うらや》ましそうに首を傾げた。上品な仕種《しぐさ》だった。

「宮里さんはお幾つなんですか」

「あたしは七十六です。来年、喜寿。すみませんね、あたしばっかり話してしまって。敏子さんは何か悩みがおありになるの。お幸せそうな奥さんなのに」

話を聞くだけで一万円、と宮里は言っていた。是非、聞いて貰おう、と敏子は決意した。

「一万円お支払いいたします。どうぞ私の話も聞いてください」

「いいですとも」

宮里は鷹揚《おうよう》に頷いた。敏子は、二カ月前に夫が突然亡くなり、それだけでも打ちのめされたのに、夫の愛人の存在が発覚したこと、長男がアメリカから帰って来て、同居を迫っているため、悩んでいることなどを包み隠さず話した。伊藤昭子について話す時は、不覚にも涙ぐんでしまった。すると、宮里が背中をさすりながら、囁くのだった。

「いいのよ、敏子さん。お泣きなさいよ。泣かないと、あたしみたいに失声しますことよ」

エレベーターが開いては、泊まり客が戻って来たり、新しい客がチェックインしに来た。ほとんどが、昨夜見かけたような若い女で、これから夜通し遊びに行くのか、皆、張り切って見えた。が、敏子は一人、ソファで涙ぐんでいるのだ。宮里は慰めるようにゆっくり言った。

「あなたのお話はよーくわかりました。辛い思いをなさったのね。それも、苦労を知らない奥さんだったから、ショックが大きいんでしょうね」

その通りだった。何も知らずに、気楽に暮らしてきただけに、子供たちでさえも何を考えているのかわからないと知った時の心許なさは言葉にできないほどだった。

「敏子さん、あなたがこのあたしに聞きたいことって何ですかねえ」

宮里がペットボトルの茶をひと口飲んで尋ねた。敏子は頭《こうべ》を巡らせた。

「あのう、私にとって一番怖いことって何なのか、考えてみたんですが、それは歳を取ることなんだと気付いたんです。だから、歳を取るってどういうことかと思って」

宮里はしたり顔に言った。

「はいはい、よーくわかります。あなたがどういう年寄りになるのか、誰にも想像できませんものね。心配ごとは山ほどありますわよね。病気で寝込んだら、誰が世話をしてくれるんだろう、その時、お金はいくらかかるか、そして、呆《ぼ》けたらどうしよう、と。あたしたち夫婦も、よくそんな話をしましたよ。蓋《ふた》を開けてみたら、結局、先に逝った方が勝ち。あら、ごめんなさい。お宅もそうでしたわね。あなたのところは、突然亡くなられたんでしょう。まだお若いから大変だったでしょうが、ポックリはいいですよ。うちなんか、患《わずら》ってからが長かった。我儘《わがまま》放題言って、医療費をさんざん遣ってお金はすっからかん。なのに、最期《さいご》はあたしに手を取られて安らかに死んでいったんですよ。あたしに何もかも押し付けて。押し付けられたものの中で、最も重いのは借金じゃないんです。生きていくことです。残された人間は、たった一人で老いを生きていかなきゃならない、ということです。老いという初めての経験を一人で迎えるのは怖いですよ。あたしは、きっとそのことに絶望して自殺を考えたんだと思いますよ」

敏子は、あまり答えになっていないと思ったが、一応真剣に頷いた。宮里が破顔した。二本しか残っていない前歯が目立った。

「つまりは、諦《あきら》めですよ。諦めて淡々と生きるしかないでしょう」

宮里は敏子の表情を横目で窺《うかが》った。

「あら、何だか不満そうね」

「いえ、そんなことありません」

何を諦めるというのだろう。歳を取ることに抵抗するな、ということだとしたら、自分は今、抵抗している真っ最中なのだろうか。敏子はよくわからなくなった。

「ま、人間なるようになるわよ」

宮里は敏子の肩をぽんと叩いた。

「あのう、宮里さん。私は一人で生きた方がいいでしょうかしら」

宮里は敏子の目を見た。

「それは、どういうこと」

「子供と一緒にいる方が寂しくない、と思う気持ちも強くあるんです」

敏子は羞《は》じらいながら言った。強い宮里の前で人恋しさについて述べるのは、勇気が要ることだった。

「奥さんは、ご家族と一緒がいいですよ」

宮里はきっぱり言った。いつの間にか、呼びかけが「敏子さん」から、「奥さん」に戻っている。

「でも、私は嫌なんです」

敏子は、彰之一家と狭い家に住む不安を述べた。宮里は下唇を突き出して、目を閉じ、考え込んでいる様子だ。やっと口を開いた。

「だったら、一人の方が絶対にいいですよ。気楽じゃないですか。あなた、あたしだって、今はホテルからホテルに移って暮らす毎日なんですよ。いろんな人たちに会えて、それは楽しいです」

宮里は適当に答えている、と敏子は感じた。これが「話を聞いてくれる」ということなのだとしたら、とてもじゃないが一万円は高い。敏子は不満だった。宮里は話に飽きた様子でフロントの方を眺めている。野田は制服に着替え、パソコンの前に立っていた。敏子はふと疑問に思った。宮里はどうやって生計を立てているのだろう。カプセルホテルとはいえ、家にいるより高く付くはずだ。

「宮里さん。失礼ですが、生活費はどうなさっているんですか」

宮里は答えずに、奥の部屋から出て来た客に目を遣った。客は、ロビーで宮里と話している時にチェックインした太めの中年女性だった。地方から出て来たらしく、けたたましい音を立てるカート型の旅行鞄《かばん》を引いていたので、よく覚えている。客は風呂に行くところらしく、洗面道具とパジャマを抱えてロビーを横切って行く。

「すみません、奥さん。それじゃ一万円いただきます。よろしいですか」

　宮里がぺこりと頭を下げた。敏子は憮然《ぶぜん》として金を支払った。またしても騙《だま》された、と思う。宮里は拝む真似をして金を受け取り、さっさとジャージのポケットに入れるなり、客の後を追った。脚も引きずってはいないようだ。

「やられましたね」

　いつの間にか、野田が脇《わき》に立っていた。敏子は鈍い自分が恥ずかしくなり、赤面した。

「でも、私の愚痴を聞いていただきましたし、こういう経験も初めてだから仕方ないかなあと」

　敏子は狼狽《ろうばい》した。野田と話せる嬉しさなどどこかにすっ飛んでいき、まずいところを見られた、とひたすら俯《うつむ》いている。野田が苦笑した。

「奥さんにさっき申し上げておけば良かったと恐縮しているのですが。実は宮里さんは、我々の間では『フロ婆《ばあ》さん』と呼ばれているのです」

「どういうことでしょう」

　敏子は野田の顔を見上げた。野田の体からは、煙草《たばこ》の匂いが漂っていた。

「風呂で女性客に身の上話をして、寄付を集めるからです」

なるほど、うまいことを言う。敏子は自分も引っかかったことを思い出し、ついつい笑ってしまった。

「私もやられた訳ですね」

野田は済まなそうな顔をしたが、どこか面白がっている風もあった。

「時々、若いお客様で、あの人にお金を請求された、とフロントに抗議に見える方もいらっしゃいますが、お金の請求くらいは大目に見ようと自由にしていただいているんです。その人が断れば、宮里さんは無理強いなんかしませんから」

「それに、払うのは、その人の勝手ですものねえ」

敏子は、この話は誰にもすまいと決意した。彰之などに告げたら、失敗した墓所買いも引き合いに出されて非難されるのが落ちだった。

「はい、申し訳ありません。私の方で、ご忠告申し上げるべきでした」

野田が頭を下げた。

「いいんです。それより宮里さんが、野田さんに自分史を書けと勧められた、と仰ってましたが」

野田が俳人と聞いてから、自分の言葉遣いがおかしいのではないかと気が気ではない。敏子は異性の前で見栄《みえ》を張るのも久しぶりだと、高揚《こうよう》していた。

「いや、そういう訳ではないのです」野田が薄い頭を掻いた。「私は、何かした方がいいと申し上げただけなんです。長逗留だからといって、あまりホテル内をご自分の家みたいにうろつかれても困るので」

宮里は「寄付」でサバイバルしているのだ。したたかな宮里にしてやられたと思ったが、一方では世にも稀《まれ》な人物を見た、という爽快感《そうかいかん》もあるのが不思議だった。

「奥さんは、お元気になられたようですね」

野田は、敏子を好ましそうに眺めた。敏子の胸は高鳴った。

「野田さんのお蔭ですわ」

あなた、ごめんなさい。まだあなたが亡くなって二カ月しか経ってないのに。敏子は心の中で隆之に詫《わ》びてはみたものの、新しい刺激が、自分を元気に、そして、強くしているのを感じていた。

「昨夜泣いてらっしゃいましたね。何かあったんですか。差し支えなければ」

野田は、立ったまま、マイルドセブンに火を点けた。予想通りの展開に、敏子の心は浮き立った。野田にソファを勧めてみた。

「お座りになりませんか」

煙を吐き出した野田は、勤務中ですから、とソファに座るのは固辞した。敏子は気取って背筋を伸ばし、足を揃《そろ》えた。

「実は二カ月前に夫が亡くなりまして、アメリカから帰国した息子夫婦に同居を迫られているんです。それが嫌で、少し考えようと」

伊藤昭子の存在には敢《あ》えて触れなかった。宮里には話せても、野田に話すのは躊躇われる。自分にだって、女としての矜持《きょうじ》があるのだ。

「同居すべきか、それとも残されたボロ家を売却して、法定相続してしまって、一人で暮らすかどうしようかと迷っているんです」

野田は忙《せわ》しなく煙草を吸いながら、聞いている。目は時々、エレベーターの動きを見ていた。

「私、どうしたらいいんでしょうか」

敏子は思い切って尋ねた。野田が何か有益なことを言ってくれないかという期待がある。いや、一緒に考えてほしかった。ところが野田はこう呟いただけだった。

「女の人も大変ですねえ」

期待を裏切られた敏子はがっかりして、なおも言い募った。

「息子は八年もロスにいて、実家には寄り付かなかったんですよ。それなのに、いきなり一家で帰って来て、まるで家を占拠する勢いなんですの。それじゃ、私の居場所がなくなりますし、孫二人も全然なついてはくれません。英語で歌を歌うんです。嫁だって初対面ですよ」

野田は灰皿で煙草を潰《つぶ》した。

「贅沢《ぜいたく》な悩みですね、奥さん。私なんか、四十八歳でいまだ狭い借家住まい。子供が三人いますが、全員フリーターで誰も出て行かない。女房はパートしてますが、体が弱いのできついみたいだし。どこも皆、大変なんですよね。すみません、お役に立てなくて」

エレベーターが開き、若い女客が入って来た。不安そうに周囲を見回し、フロントの方向に歩いて行く。野田が慌てて後を追った。突然、一人にされた敏子は、自分が何かまずいことを言ったのでは、と気になって仕方がなかった。野田の口調に怒気が籠もっているように感じられたのだ。

敏子は自室に戻って、煎餅を囓《かじ》り、缶ビールを飲みながらテレビを見た。しかし、画面を目で追っているだけで、何も頭に入っては来なかった。自分の何が、野田を怒らせたのだろうとずっと考えている。

持ち家がある、と自慢しているように聞こえたのかもしれない。敏子は、謝りに行こうかと腰を浮かしかけた。だが、それも藪蛇《やぶへび》になりそうだし、野田がそんな些細《ささい》なことを気にする、小さな人物には思えなかった。

また、敏子は、野田が四十八歳という事実に衝撃を受けてもいた。おそらく四十代とは思っていたが、四十八歳とはっきり告げられると、自分には縁のない年下の男だと愕然《がくぜん》とする。せめて五十二、三歳だったら、もっと近しく感じられるのに。敏子は悶々《もんもん》とした。

午後十時近い。敏子は風呂の準備を始めた。宮里と会わないように時間をずらしたのだ。ドアの隙間《すきま》からロビーを窺ったが、宮里の姿はない。若い女が一人、吸いかけの煙草を灰皿に置いて、物凄い早さで携帯メールを打っている。

フロントの前を通る時、敏子は緊張した。野田が難しい顔でパソコンに何か打ち込んでいた。

敏子は目礼した。野田は顔を上げ、ホテルのフロントマンを思わせる、慇懃《いんぎん》な微笑み方をした。急に距離を感じて、敏子はたじろいだ。ロビーでは、あれほど親近感を持ったのに、今はごく普通の泊まり客に接する態度だ。敏子は早々に風呂場に向かった。

最初は、脱衣場の隅に、浴衣が落ちているように見えた。柄に見覚えがある。敏子は目を凝《こ》らした。その先に茶色い細い脚が突き出ているのに気付いて、敏子は駆け寄った。

「宮里さん、大丈夫ですか」

固く目を閉じた宮里は意識がない。だが、息は微かにある。敏子は慌てて廊下に飛び出した。はす向かいのフロントに走って行くと、血相の変わった敏子を見て凶事を察したのか、野田が顔色を変えた。

「どうかしましたか」

「お風呂場で宮里さんが倒れてます」

慌てて風呂場の前に走った野田が、風呂場のドアの前で大きな声を上げた。

「入りますよ」

「誰もいないですよ、早く」

敏子は、荒々しく野田の背中を押した。隆之が脱衣場で倒れていた時のことを思い出し、切なくて仕方なかった。

敏子は、ホテルのすぐ側《そば》にある総合病院の暗いロビーの椅子に腰掛けていた。宮里と関係のない自分が、なぜこんなところにいるのだろう、と不思議な思いに囚《とら》われている。倒れている人間を風呂場で発見する、これも運命なのか、と苦笑せざるを得ない。救急車で運ばれた宮里は、脳梗塞を疑われ、集中治療室に入っていた。

「関口さん、すみません」

真っ暗な廊下から、男が呼びかけた。廊下の先には「救急夜間入口」という表示がほんのりと見える。フロントの交代要員が来ないことには動けない、という野田がやっと到着したのだ。野田はホテルの制服のままで小走りにやって来た。

「どうも申し訳ありません。ホテルのお客様にこんなことまでしていただきまして。お蔭様で本当に助かりました」

野田は敏子に深々と頭を下げた。

「宮里さん、脳梗塞らしいです。まだ詳しいことはわかっていません。もう少し待てば、当直の先生がお話をしてくださると言ってます」

「そうですか、参ったなあ」

野田は敏子の横にどっかと腰を下ろし、両手で頬《ほお》を擦《こす》った。疲れた様子だった。野田は敏子の方に向き直った。

「あのう、関口さん。どうぞお帰りになっていただいて結構ですよ。私、おりますから。それから、今回ホテル代は結構です。お客様に病院まで付き添っていただいた上に、料金まではとてもいただけません」

「いいんですよ。これも運命だと思いました」

敏子は誰もいない受付をぼんやりと眺めた。もの問いたげな野田の視線を頰に感じ、説明した。

「実は、うちの主人も、自宅の脱衣場に倒れていたんですの。私が発見した時は手遅れの状態で、病院に着いてすぐ亡くなりました。心臓麻痺《まひ》だったんです。そのことを思い出していました。主人は駄目でしたが、宮里さんは助かって本当に良かったです」

「そうだったんですか。つい二カ月前にそんな辛いことがあったのに、どうもすみません」

野田はしんみりした。

「野田さんが謝ることじゃないですよ」

「いや、私が関口さんのご親切に甘えてしまって申し訳ないです」

「いいです。宮里さんはご親戚《しんせき》もいらっしゃらないんだし」

「いいえ、おります。私は甥なんです」

宮里が「バカヤロー」と叫んだ甥が、野田だったとは。敏子は唖然《あぜん》とした。道理で、宮里がこのホテルに長逗留できたはずである。ロビーは自分の居間のごとく、傍若無人に使っていたし、部屋も奥の広めの客室だった。

「野田さんが一流ホテルのホテルマンだったというお話は違うんですか」

「伯母が言ったんですね。きっと、伯母の願望でしょう。私の母の兄が、宮里の夫です。私は伯父から大金を借りて、事業に失敗し、借金取りから逃げ回った末に、伯母を自殺未遂にまで追い遣り、悲しい目に遭わせた男です」

ドラマみたいだ。敏子は野田の涙を滲《にじ》ませた目を見つめながら思った。だからこそ、野田は自分の身の上話を主婦の甘い悩みだと軽蔑《けいべつ》したのだろう。泣いていた時や宮里に騙された時に、親切に歩み寄って来たのは、自身が弱い人間だからだ。弱さを剝き出しにした人間を助けたかったのだろう。

「あのう、俳句をやっていらっしゃるというのは」

敏子は遠慮がちに聞いた。

「伯母はそんなことも言ったんですか。嘘《うそ》ですよ」

野田は怒ったように言った。敏子はなぜか可笑しくてならなかった。俳句をやっている野田に、自分史を書けと言われた、と自慢げに言った宮里の嘘が愛らしく思えたのだ。宮里は、野田を可愛がり、頼っていたのだ。

「ともかく、伯母は私が最期まで面倒を見ようと思っています。ただ、家が狭いので、職場に住まわせている次第です」

人生劇場。はからずも野田が言った陳腐な表現が蘇った。如何《いか》に自分が世間を知っているか、と常々自慢していた隆之も、そしておそらく伊藤昭子も、今自分が味わっている、人生の苦さを知らないだろう。敏子は奇妙な勝利感に酔っていた。

「私はまだ借金を払い終えてなくて、昼間は新古書店で働いているんです」

「いつお寝《やす》みになるんですか」

敏子は驚いて尋ねた。

「夜勤ですから、適当に寝ます」野田は肩を揉んだ。「関口さん、どうぞホテルに帰ってお休みください。申し訳ないですから」

残っても、野田は気を遣うだけだろう。敏子は勧められるままに立ち上がった。野田と宮里の絆《きずな》は固い。どんな係累《けいるい》であれ、孤独感さえ埋められるならば、自分も強い人間関係を持ちたいものだ。敏子は、もう数泊して、宮里の世話をしようと決意した。野田の心身の負担を軽減したいと考えたのだった。

翌朝、野田の姿はフロントになかった。敏子がチェックインした時に応対した、若い男に代わっている。敏子は二泊延泊を申し出て、前金を払った。野田は要らないと言ってくれたが、前金を取られる以上、払わない訳にはいかない。

身支度をして、表に出た。モーニングセットと書いてある古い喫茶店を見付けて入った。簡単に朝食を済ませて、宮里の様子を見に行くつもりだ。喫茶店の中は、意外にも、高齢者で満席だった。老人や老女が、のんびりとコーヒーを飲みながら、朝刊や週刊誌を読み、談笑している。立っている敏子に、八十代らしい老女が相席を勧めてくれた。

「お早うございます。あなた、新しい方ですか。ここはいいですよ。サラダの代わりに納豆を付けることもできるんです」

「毎日、いらっしゃるんですか」

「雨さえ降らなければ参ります」

老女はそう答えて、スポーツ新聞に目を落とした。世の中は知らないことばかりだ、と敏子はまたしても思った。自分は、隆之が亡くなるまで、老人の姿さえ目に留まらなかった。敏子は、トーストと茹《ゆ》で卵、サラダのモーニングセットを食べ、病院に向かった。

ナースステーションで、宮里の容態を聞いた。やはり脳梗塞で、右半身不随、失語症、意識混濁が続いているという。命は取り留めたが、障害が残ると聞いて、暗い気持ちになった。集中治療室のガラス窓から覗くと、宮里は口を歪《ゆが》んだ形に曲げて、固く目を閉じていた。腕には点滴の針が刺さっている。

「関口さん、いらしてくださったんですか」

背後から声がかけられた。野田が、憔悴《しょうすい》した顔で立っていた。黒いジャンパーに灰色のズボン、キャンバス地のエプロンをしている。エプロンには「ブックオン」と新古書店の名が記されていた。昼間のアルバイトの途中、抜け出して来たと見える。仕事をふたつも持っているのは本当だった。敏子は胸が熱くなった。

「大変ですね、野田さんも」

「伯母も『フロ婆さん』じゃなくなっちゃった。私もこれからどうするか、考えますよ」

野田の全身から絶望という名の瘴気《しょうき》が漂っている気がして、敏子は思わず目を背けた。だが、自分が宮里のようになったら、彰之も美保も、野田のようには尽くしてくれないだろうという確信が生まれていた。朝の和やかな喫茶店の風景を思い出し、敏子は目頭を押さえていた。

第五章　紛糾

宮里が倒れた二日後、敏子はやっと自宅に帰って来た。都合四泊五日のプチ家出だったが、得たものは大きかった、と自分では思う。敏子は、家に帰った後も、時々は宮里の様子を見に行くと約束し、要らないと言われたホテル代も無理矢理払って、野田と別れたのだった。

「ただいま」

家は照明が灯《とも》っていた。鍵《かぎ》を開け、三和土《たたき》に立ったまま敏子は家の匂《にお》いを嗅《か》いだ。芳香剤と鰹《かつお》だしの匂いが染《し》み付いた懐《なつ》かしい我が家。そこに新しい匂いが加わっていた。線香の香りだ。

奥から彰之が出て来た。まだ七時過ぎだというのに、すでにパジャマ姿だった。それも、隆之のパジャマを着ているので、敏子は一瞬、息を呑《の》んだ。隆之の幽霊が現れたような気がした。

「お母さん、どこに行ってたの」

彰之は仏頂面《ぶっちょうづら》だった。勇を鼓《こ》して家を出てみて良かった、と充実して帰って来た分、お帰り、とも言ってくれない息子に、敏子も気を悪くした。

「栄子さんから電話があったから、母はお宅に行ったんじゃないですかと聞いたら、来てないって言うので騒ぎになったよ。しかも、お母さん、携帯電話の電源切っていたでしょう」

「あら、そうだっけ」

操作を熟知していない敏子は、目を細めてバッグの中を引っ掻《か》き回した。我ながら、老人臭い仕種《しぐさ》だと思う。

「そうだっけ、じゃないだろう。人騒がせだよ、美保も心配してたし、栄子さんも、帰ったら電話くれって」

心配してくれるのは嬉《うれ》しいが、自分はそれどころではない。もっと深い人生経験をしてきたのだから。

敏子は、線香を上げた後、キッチンのテーブルの前に座り、彰之を手招きした。

「聞いて。お母さん、いろんなことがあったのよ」

彰之は敏子が興奮して話す間は黙って聞いていたが、話し終わった途端、嫌な顔をした。

「お母さん、余計なこと言わなかっただろうね」

「余計なことって何」

敏子は茶を啜《すす》り、長男の顔を見た。それより、あなたの仕事はどうなっているのか、と問い詰めたい気持ちを我慢しているのに。

「うちの財産がどのくらいある、とかさ。オヤジが死んで相続の話し合いしてる、なんてことだよ」

「してないけど、どうして」

内心ひやりとして、敏子は聞いた。

「気を許して喋《しゃべ》れば、どこにどう伝わるか、わからないじゃないか。今は悪い奴《やつ》が多いんだから、情報漏れが一番危ないんだ。お母さんは無防備だからなあ」

「そんなこと喋ってないわよ。たとえ、喋ったとしても、野田さんはそんなことする人じゃないわ」

彰之は、不審な面持ちで敏子の表情を窺《うかが》った。野田を庇《かば》い過ぎただろうか。敏子は澄まして茶をひと口飲んだ。誰にも心を読まれたくない。野田のことは好きでも嫌いでもない。ただ、もっと話をしてみたいと思っただけだ。その感情は、友情に近い。

だが、敏子は年下の異性に友情を感じたことなどなかったから、どこか後ろめたいのだった。疑われれば疑われるほど、感情が変質して、違うものになっていきそうな危うさがある。

「その人は借金取りから逃げ回った過去があるんだろう。今、金に困っているんだったら、何を考えるかわからないよ」

あなたのようにね。敏子の中に、ほんの瞬間だったが、息子に対する嫌悪感《けんおかん》が芽生えた。八年間離れている間、自分たち親子は心が離れてしまったのだ。寂しい反面、仕方がないとも思い始めている。夫が死んだ以上、頼る人間は誰もいなくなったのだ。歳《とし》を取るのが怖いのは、孤独が怖いからだ。敏子は、ようやく自分が宮里にぶつけた疑問の答えを得た気がした。宮里は、野田という甥《おい》と一緒に生きていたから、孤独ではなかった。

「猜疑心《さいぎしん》って醜いわ」

敏子は、小さな声で反論したが、彰之は一蹴《いっしゅう》した。

「お母さんは人が好《い》いんだよ。いいとこなんだろうけどさ、これからは少し気を付けた方がいいよ」

敏子はむっとして黙っている。彰之と相対しているのが嫌で、キッチンを見回した。

四日ぶりの我が家は、広々して見える。

「で、お母さん、結論は出た？」

彰之は核心に入った。敏子は、茶飲みを手の中でぐるぐる回した。はっきり言え、と自分が自分を激励していた。

「悪いけど、私はあなたたちとは暮らせないわ。この家は私の家でもあるんだから、ずっと暮らさせてほしい。だけど、それはどうしても嫌なんでしょう」

彰之が唇の端を掻いた。

「俺は法定相続してほしい。美保も同じ意見だよ」

敏子は意外な思いで、顔を上げた。娘の美保とだったら、一緒に暮らしてもいい。だから、彰之一家と、美保とマモルが交代してほしかったのに。美保も貰《もら》えるものだけ貰って、自分から去っていくというのか。彰之は、敏子の心も知らず、敏子が駅前で買って来た饅頭《まんじゅう》を頬《ほお》張った。

「昨日の夜、美保が来たんだ。二人で酒飲みながらぶっちゃけて喋ったよ。あいつが言うには、近い将来、彼氏の実家に戻って結婚するつもりなんだって。いずれ、酒屋をコンビニにする予定だから、現金はいくらでも欲しいそうだ。会社形式にするから、嫁の自分が出資してでかい顔をしたいんだって。しっかりしてるよ、あいつは。だから、お母さんは俺の一家と一緒に住んでほしい、と。そして、自分には一千万くれって」

「くれって言われたって」

敏子は言葉を切った。家はあっても、自分のための現金がないのは嫌だった。「フロ婆《ばあ》さん」。唐突に宮里のことを思い出した。自分も宮里のように、この経験を話して金を稼ぐことはできないだろうか。到底、無理だった。自分の体験など悲惨でも何でもないのだから。のんびりした主婦に、突然出来《しゅったい》した喜劇でしかない。お人好《よ》しで、お馬鹿《ばか》さんの主婦に。不意に可笑《おか》しさが込み上げた。

「何が可笑しいの」

慌《あわ》てた風に、彰之が聞いた。困った顔をしていた敏子が、急に薄笑いを浮かべたので気味が悪かったのだろう。敏子はぶちまける気になった。

「もういいわ。そこまで、あなたたちが身勝手だと思わなかった。私はお父さんが死んで途方に暮れていたけど、やっと覚悟が決まった。私は、あなたたち一家とは住みたくない。狭いからじゃないわ。あなたは優しくないし、私の好きにはできなくなるのがわかっているからなの。この家は売りましょう。どのくらいで売れるかわからないけど、それと現金を合わせて法定相続しましょう。その代わり、私は自由にさせて貰うわ」

彰之は全く慌てず、冷静に聞き返した。

「自由って、どういうこと」

「アパートでも借りて、仕事見付けて、一人で生きるわ。年金と二千五百万くらいの現金があれば、何とかなるんじゃないかしら」

彰之は一応、溜息《ためいき》を吐《つ》いてみせたが、その実、ほっとした様子でもあった。

「だったら、そうしよう。俺も考えたんだよ。お母さんが、栄子さんのところに行ってないとわかった時に、そんなに苦しめたのかなと心配になった。だから、俺も女房に、同居するのは諦《あきら》めようかと相談したんだ」

「じゃ、どうするの」

敏子は半信半疑で尋ねた。あれだけ熱心に計画を語っていたのに。

「由佳里の実家が千葉にあるんで、その近くに家を探すよ。実は、仕事が見付からないので、由佳里の家の家業を手伝うことになりそうなんだ」

だったら、自分とこの家を放っておいてくれても良さそうなものなのに。敏子は嫌な気がした。

「由佳里さんのご実家は何をしているの」

「運送業さ」彰之は、やや不満そうに答えた。「どこも不景気だしね。生活はきついよ」

敏子はさっきから疑問に思っていたことをぶつけた。

「あなたたちは、私が死ぬまで相続を待てないの」

彰之は、外国人がするように肩を竦《すく》めた。

「お母さんが決定したんでしょう。この家を売って法定相続するって」

狡猾《こうかつ》だ。自分が、家を売るという結論を出すのを待っていたのだろうか。

「じゃ、私がそうしなかったら、あなたがたはここに住むってことなの」

彰之は、視線を落とした。

「悪いかな。お母さん、誤解しないでほしいんだけど、俺は金が欲しいんじゃないよ。お父さんが遺《のこ》したものを、お母さんも俺も美保も、貰う権利があるってことなんだ。お父さんの何かを受け取りたいんだよ、これからの人生に役立つものを。それをお母さんも、俺たち兄妹も受け取る。正当だと思うけど」

「わかったわ。そうしましょう」

敏子は面倒臭くなった。自分の決定をあらかじめ予想していたような彰之の言い分に不快感はあったが、子供たちとも離れて、誰にも何も言わせず、一人で生きようという決心は、遺産の配分を綺麗《きれい》にしてしまおうという衝動に変わっていた。宮里や野田に会う前は、たいした金額ではないと怯《おび》えていたが、今は恵まれている方だ、と感じられる。それだけでも、有難い変化だった。何事もやってみなければわからない。

「じゃ、決定したところで乾杯しましょうよ」

さばさばと言い放つ敏子に、彰之は不安そうな視線を投げかけた。その中に畏怖《いふ》があるのを、敏子は感じ取っていた。

翌朝、彰之は千葉に出かけて行った。ちょうどいいマンションがある、と由佳里の父親から連絡があったらしい。彰之が着々と新生活の準備を始めているのを見て、敏子は安堵《あんど》した。自分は自分の生活を始める。困難な道でも、歳を取ることと孤独は、受け入れざるを得ない現実なのだ。

午後、電話が鳴った。

「もしもし、敏ちゃん」

美奈子からだった。久しぶりに、栄子と和世と三人で敏子の家に遊びに行きたいと言う。

「いいわよ。彰之も出かけたし、この家も売らなきゃならないから、今のうちに来てよ」

美奈子は、声を張り上げた。

「あなた、彰之ちゃんたちと一緒に住むんじゃなかったの」

「説明するから来て」敏子は苦笑した。

美奈子は、テニス帰りと見えて、白いウィンドブレーカーに黒のジャージ姿だった。大きなスポーツバッグを持っている。連絡の取れなかった敏子を、心底心配していたと見え、現れた時から憂《うれ》い顔だった。和世は、春らしい空色のニットに短めの丈の紺色のパンツ。顔の皺《しわ》は隠せないが、後ろから見れば、若い娘のようだ。和世も神妙な面持ちで入って来た。二人は、待ち合わせた駅で買ったというケーキを差し出した。栄子は遅れて来るらしい。どうやら、連絡をせずに姿を消した敏子に、腹を立てている模様だ。

「嫌だ。あなた、どこへ行ってたのよ」

会うなり、美奈子は敏子を詰《なじ》った。

「みんな、心配してたのよ」

ねえ、とばかりに、和世と美奈子が顔を見合わせる。

「ごめんなさい。私、息子に同居のことを言われて、ふらふら迷っていたのよ。だから、思い切って、プチ家出して一人で考えてきたの。それでやっと結論を出したわ」

二人が仏壇にお参りしている間、敏子は冷蔵庫から缶ビールを出した。彰之用の買い置きだったが、昨夜の話し合い以来、彰之とはあらゆる面で合理的に処して行くつもりだ。敏子は美奈子に声をかけた。

「美奈ちゃん、ビール飲まない」

「飲みたい」と、美奈子は即座に答えた。敏子は和世のために一人分の紅茶を淹《い》れ、盆にビールとグラスと、紅茶を載せて居間に運んだ。

「敏ちゃんの家でビール飲むとは思わなかった」

美奈子が笑って、グラスを傾けた。喉《のど》が渇いていたと見え、旨《うま》そうに空けて言った。

「昼間のビールが一番美味《おい》しいわね」

「本当ね」

敏子は、あの街でサラリーマンの真似《まね》をして飲んだビールを思い出している。あの時から、自分の中の何かが変わったのだ。

「この家も売りに出すから、ざっと見て行ってちょうだいよ」

敏子の言葉に、和世が心配そうに小声で聞いた。

「そのことだけど、敏ちゃん、何かあったの」

敏子はどう説明しようかと、空を見た。

「子供たちがどうしても法定相続したいと言い張るし、私も好きにやろうかと思ったの」

「好きにやるっていうけど、家を売ってどこに住むの」

「わからないわ。だけど、ローンを払ったということは、家賃を払ってきたのと同じでしょう。だったら、こんな古い家に固執するのも馬鹿だと思ったのよ。改築したら、何百万もかかるし」

「一千万はいくわよ」

美奈子が冷静に訂正する。

「年金以外の現金を持たずに、息子夫婦に気兼ねして暮らすよりは、一人で自由がいいと思ったの」

「確かに見識ね」美奈子は言い切った。「でも、それにしても彰之ちゃんは強引ね。あたしだったら、自分の息子がそこまでしたら怒るわ」

怒っても、叫んでも、どうしようもないこともある。敏子は気心の知れた友人の間でも孤独感を嚙《か》み締めている。困窮している人間が一番強いのだ。そして、それは自分ではない。困窮している人間と喧嘩《けんか》しては、絶対に負ける。だとしたら、余裕のあるうちに、新しい生活を築くべきなのだ。それが宮里と野田から学んだ大きなことだった。

「何を考えてるの」

和世が優しく言った。敏子は和世の方を向いた。

「私、変われるかな」

「どういうこと」

和世は楽しそうに聞いた。

「いつも和世ちゃんみたいな素敵な服を着て、美奈ちゃんみたいに自信に溢《あふ》れて、伊藤昭子みたいに恋人を持って」

二人が怪訝《けげん》な顔をした。アルコールに頬を染めた美奈子が問うた。

「誰、伊藤昭子って」

言い過ぎた。敏子はうろたえて口を噤《つぐ》んだ。昼間のアルコールが自分を饒舌《じょうぜつ》にしたのだ。

「ねえ、何があったのよ」

美奈子が真剣に聞くので、敏子は仕方なく白状することにした。

「葬儀の日に、主人の携帯が鳴ったのよ。相手は女の人で、私が出たらはっとしてたの。隆之が亡《な》くなったことを告げたら、しんとしてた。泣いているみたいだったから、ぴんときたの」

「それが伊藤昭子なのね」

和世が静かに言った。敏子は、彰之の真似をして肩を竦めてみた。

「そうなのよ。私、伊藤昭子に電話して、家に来て貰ったの。そしたら、やって来たので、問い詰めたわ。亡くなった日にそこに行ってたんじゃないかって」

あっ、と同時に二人が叫んだ。

「そうだったんだ。だから、隆之さん、嘘《うそ》を吐いたんだ」美奈子が仏壇を睨《にら》んだ。

「あたし、そういうの嫌だな。隆之さんが、敏ちゃんを不必要に苦しめたんだと思うと、何か許せないわ」

ねえ、とまたも二人が顔を見合わせる。

「しかも、お蕎麦《そば》屋さんなのよ」

敏子は苦笑交じりに言った。

「えー、信じられない」

美奈子と和世は同時に叫んで敏子の顔を見たきり、声も出ない。そこに、三十分遅れで、栄子がやって来た。しつこくインターホンを押し、廊下をどたばたと歩いて来る。

「遅くなってごめんなさい」

自慢のトレンチコートを脱ぎながら、栄子は敏子を睨む真似をした。下は、スパンコールで埋まった派手な青いカーディガンに白いスカートだ。

「みんな聞いて。この人ね、あたしのところに泊まりに行くと言って、家出したのよ。高校生みたいな嘘よね。だったら、口裏合わせてくれなきゃ焦《あせ》るじゃない。あたし、彰之ちゃんに怒られちゃったわよ」

美奈子と和世が笑った。栄子は椅子《いす》に座り、注《つ》がれたビールにすぐ口を付けた。

「この家、売ることにしたのよ」

栄子は一瞬、ぎょっとした顔をしたが、すぐさま同意した。

「いいんじゃない。悪いけど、古いし、狭いし。とてもじゃないけど、あと二十年は保《も》たないわよ」

「敏ちゃん、法定相続するんですってよ」

美奈子の発言に、栄子は目を剝《む》いた。

「えっ、敏ちゃんが全部遺産を貰って売るんじゃないの」

「違うの。法定相続するために売るの」

栄子は憤然としてなおも言った。

「やめなさいって、あたし、言ったじゃない。もっと頑張れって。そんなことしたら、彰之ちゃんの思う壺《つぼ》よ」

敏子は三本目の缶ビールのプルを引き、首を振った。

「いいのよ、もう。決して諦めじゃないわ。正直に言うとね、私は家族の誰も信じられなくなったの。主人もそうよ。私を長い間、騙《だま》していた。あの時の外出もそうか、前の旅行もそうだ、と思うのって辛《つら》いわよ。彰之も美保も同じ。二人とも、自分たちの人生の今現在しかない。私が歳を取るということに、子供たちは関心がないのよ。というか、見たくないの。だから、一緒に住もうとか、法定相続してくれ、なんて適当に言うだけ。つまり、私のことは私しか考えていないということに、やっと気付いたの。でも、それは、当たり前じゃない。自分も誰かを頼ろうとしていたのよ。今頃、そんなことに思いが至るって、私ってつくづく暢気《のんき》よね。いいの、私。すっきりして一人で生きる」

美奈子、和世、栄子ともにしんみりして聞いている。栄子が涙ぐんだ。

「あたし、敏ちゃんを尊敬するわ。実を言うと、これまでグループの中で一番、自己主張のない人だと思っていた。だから、あたし躍起になって、あなたを洗脳しようと思っていたのかも」

「ありがとう、栄ちゃん」

栄子があっさり引き下がったのはいつものことだったが、敏子は気持ちが良かった。あちこちに気を遣い、皆の気持ちを慮《おもんぱか》って生きてきた。間違いだとは思わないが、最後の生を生きるには、その方法では窮屈過ぎる。昨夜、彰之の目に現れた畏怖。自分勝手に生きるしかないのだった。その道の末が、「フロ婆さん」になるしかないのだとしても。

「だけどね、聞いてるうちにちょっと心配になってきた。あたしには、敏ちゃんがヤケクソになってる気がしてならないんだけど」

美奈子が遠慮がちに口を挟んだ。和世も、同意するように美奈子の方を見た。

「自棄《やけ》じゃないわ。考えた末の結論なの」

敏子は穏やかに答えたが、内心苛立《いらだ》っていた。なぜ、わかってくれないのだろうか、と。ここにいる友人たちは、高校時代からの気の置けない仲間だ。何かあれば、我がことのように心配して駆け付けてくれるし、自分もそうしてきたつもりだ。しかし、心の底の底にある、まだ悩みという形にもならない思いや、漠然とした不安について話し合ったことはない。黙り込んでしまった友人の顔を一人一人眺めた。美奈子、和世、栄子。三人は、宮里や野田のような悲惨な経験をすることなく、安穏な人生を終えそうだ。

だが、自分はすでに別の道を一歩進んでしまった。友に対する距離感が、敏子を居心地悪くさせていた。昨夜の決断だとて、簡単なものではなかった。一人で生きる。その決意は、両膝《ひざ》が震えだすほどの恐怖と緊張を孕《はら》んだものだというのに、友人たちには実感がないのだろうか。折角、決断したのに、なぜ皆は心から祝ってくれないのだろう。

「ねえねえ、敏ちゃんが一人で決めたんだから、それでいいじゃないの」

栄子が、敏子の方を窺ってから、あられを口に放り込んだ。感情が高まったところを美奈子に水を差され、栄子は不満そうだ。栄子の言葉を受けて、美奈子も好戦的になった。

「栄ちゃんは言うだけ言ったから、それで気が済んだだけでしょう。でも、これは敏ちゃんの一生の問題じゃない。そんな簡単に済ませられないわよ」

栄子はあられを嚙みながら、せせら笑った。

「そんないきり立つことはないじゃない」

「いきり立ってなんかいないわよ」

「いや、怒ってる」

「怒るのといきり立つのって違うでしょう。あたしは、敏ちゃんの結論が早過ぎると言ってるだけ。もっと考えたっていいじゃない」

「じゃ、どうすりゃいい訳」

「まだ、わかんないけど」

栄子がぷいと横を向いた。険悪な空気の中、和世が慌てて間に入った。

「あたしもね、先々のことを考えると憂鬱《ゆううつ》になるの。主人は年下だけど、体が弱いからあたしより先に死ぬと思うのよ。息子のお嫁さんと一緒に住むのはご免だし。動けなくなったら、ケア・マンションに入るわ。敏ちゃんはどうするの」

敏子は首を振った。

「ケア・マンションまでは考えられないわ。そんな先のこと」

その頃には、手持ちの金は底を突いていることだろう。敏子は暗い気持ちになった。

「ねえ、敏ちゃん。それでいいの? あなたよく考えた方がいいって」

美奈子が真剣な表情で言った。敏子は少しむっとした。それでいいのかどうか、など誰にもわからない。さんざん悩んだ挙句に出した結論。その先をどうやって予想し、対策を講じればいいのだろう。ないものはないし、嫌なものは嫌なのだ。そう思ったら、言葉が口を衝《つ》いて出ていた。

「美奈ちゃんは当事者じゃないから、そんな風に言えるんじゃないの。先のことって言うけど、私にとっては地続きの問題よ。私の子供たちが冷たい、というのは事実なんだし、私は夫が死んで一人きりになってしまった。今にも、息子家族が押し寄せて来ると言ってるんだから、幸せなあなたたちとは違う。遠い未来なんて言われてもわからない。今現在をどうしようかという話なんだもの」

しんと空気が冷えるのがわかる。とうとう言ってしまった。敏子は唇を噛んだ。

「ごめん、敏ちゃん。今聞いていたら、やっぱり自棄っぽい感じがする」

栄子がそう言って、煙草《たばこ》に火を点《つ》けた。さっきは同意した癖に。敏子は更にむかついた。それに、栄子は他人に意見をする時、煙草を吸う癖がある。煙草があたかも鋭い言葉の遮蔽物《しゃへいぶつ》になるかのように。敏子は煙を烈《はげ》しく手で振り払った。その仕種が、彰之の美保に対する態度にそっくりだと気付いていながら。

「栄ちゃんは、私の味方じゃなかったの」

栄子はしたり顔に頷《うなず》いた。

「そうよ、味方よ。さっきの敏ちゃんの態度は偉いと思ったわ。それは尊敬する。でもさ、あたしたちはまだ五十九歳なのよ。あと、二十年以上生きなくちゃならない。だったら、動けなくなった時こそが本当の窮地なんだから、その時のことを考えて、もっと対策を練らなくちゃ駄目なんじゃないの。何か、敏ちゃん、感情的だよ」

さっき涙をこぼした時はそんなこと言わなかったのに。敏子は反駁《はんばく》しようと思ったが、何を言っても、自棄だ、暢気だ、感情的だ、と言われそうで、黙っているしかなかった。私には、決断を迫られている事柄があるのよ、あなたたちとは違う、と敏子は何度も叫びたかった。

「じゃ、あなたたちは、私がどうすればいいって言うの」

敏子の喧嘩腰の問いかけに、おとなしく黙っていた和世がきっと顔を上げた。

「敏ちゃんがもっと子供たちを怒ればいいんじゃないかしら」

「怒ったわよ、さんざん」

敏子は反射的に仏壇を振り返った。ビールグラスを掲げて朗らかに笑っている隆之。なぜ自分だけが、こんなに悩まなければならないのか。持たされた荷が重過ぎるのだ。荷とは、宮里が言ったこと。『たった一人で老いを生きていかなきゃならない』。敏子は急激に悲しくなり、泣きたくなった。黙りこくって物思いに耽《ふけ》る敏子を心配してか、美奈子が尋ねた。

「どうしたの、敏ちゃん」

「ごめんね、私疲れたみたい。悪いけど帰ってくれる」

「あたしたちもそろそろ失礼しようかと思っていたのよ」

栄子が勢いよく立ち上がった。美奈子との口論に気を悪くしている様子だ。美奈子も厳しい顔でテーブルの上のグラスや茶碗《ちゃわん》を片付け始めた。和世は最後のひと言が余計だったと反省しているらしく、悄気《しょげ》ている。

「そのままでいいから」

早く帰って、と敏子が呑み込んだ言葉を察したのか、美奈子も和世も顔色を変えて支度している。三人は挨拶《あいさつ》もそこそこに帰って行った。足かけ四十年に及ぶ付き合いの中で、これほど気まずかったことはなかった。

一人になった敏子は後味の悪さを嚙み締めて、しばらく放心していた。テーブルの上が散らかっている。紅茶茶碗に付いた和世の口紅。栄子が撒《ま》き散らした煙草の灰。美奈子の残したビール。敏子は何もかもが面倒になり、後片付けもせずに幼児のように丸くなってソファに横になった。そのうち眠くなって目を閉じた。酔いが回ったらしい。奇妙な夢を見た。

隆之の葬式の場面だった。彰之が、敏子を手招きして囁《ささや》く。「お母さん、お父さんに借金があったの知ってる」。知らなかった、と驚く敏子に、美保が詰め寄った。「お母さんが、暢気だからよ」。「お人好しだからね」と、彰之が付け加える。違う、違う、私はそんな人間じゃない、と敏子は言いたいが身動きができずに、夢の中で焦っていた。悩み、考えているのに、周囲からまだそれでは足りない、と責められている気がする。

「お母さん、どうしたの。大丈夫」

美保がソファの横に立っていた。外はすでに暗くなり、室内は照明が灯っていた。三時間近くも、寝ていたらしい。敏子はソファに横たわったまま、娘の顔を見上げた。たった今、夢に現れたばかりだったから不思議な気分だった。夢と現実の区別が容易につかず、我が娘ながら、何となく腹立たしい。二年前、急に出て行ったと思ったら、すぐに同棲《どうせい》し、その後、自由に家に出入りしている美保。美保にとって、実家はいつまでも自分の家という認識なのだろうか。けじめがなさ過ぎる。しかし、美保の我儘《わがまま》を許していたのは、他ならぬ自分であり、隆之だった。敏子は初めて自分たち夫婦の甘さに思いが至った。敏子の悔いにも気付かず、美保は散らかったテーブルに顔を顰《しか》めた。

「昼間っからお酒飲んでたの」

「たまにはいいじゃない」

敏子は素っ気なく答えた。

「やるわね、おばさんたちも」

美保は苦笑して、ジージャンを脱いだ。体にぴったりしたTシャツ姿だ。少し太って貫禄《かんろく》の出てきた美保は、心にも体にも、若い娘の頃のような初々《ういうい》しさはない。

「聞いたよ、兄貴から。お母さんがこの家を売って、皆でお金を分けるって言ったって。帰るところがないのは嫌だけど、お母さんが決めたのなら、それでいいよ」

やれやれ、またその話か。敏子は身を起こし、温《ぬる》くなったペットボトルの水をグラスに入れて飲んだ。美保は、ジーンズのポケットに手を突っ込み、仏壇の写真をぼんやり振り返って眺めている。

「人が一人死ぬと、いろんなことが変わるんだね。あたし、今回すごくよくわかった」

でも、自分はまだその変化に馴染《なじ》めず、足掻《あが》いている。敏子はうたた寝で凝った肩を手で揉《も》んだ。

「今日は何の用事で来たの」

「兄貴が皆で話そうって急に電話してきたから、遅番代わって貰ったのよ。五時半に集合だって」

美保は汚れたグラスや碗皿を盆に載せ、布巾《ふきん》でぞんざいに天板を拭《ぬぐ》った。この所作では婚家でも苦労することだろう、と溜息が出る。一生側《そば》に居て注意することもできないのだから、大人になった美保を心配しても仕方あるまい。敏子の心に、諦めにも似た気持ちが広がっていた。

「彰之はどうして私にそのこと知らせてくれないのかしら」

「お母さんはいつも家にいるからでしょう」

「家にいるからって知らせてくれないのは変じゃない。買い物に行くかもしれないし、ここは私の家なのよ」

「そうだけど。お母さん、どこにも行くとこないでしょう」

ある、野田のいるカプセルホテルが。敏子は心の中で思ったが、無論、口にはしない。

玄関のドアが開く音がして、足音も荒く、彰之が帰って来た。美保に、来てたのか、という顔をする。美保も手を挙げたきり、言葉を発しない。重要なことは、自分を抜かして携帯電話で打ち合わせているのかもしれない、と敏子は居心地が悪かった。彰之は若者風のショルダーバッグをソファの端に置き、いきなり切り出した。

「お母さん、夕べの話だけどね、美保の前できちんと決めましょう。相続は七カ月後でしたっけね。家を売りに出すなら、今のうちに決めた方がいいからさ」

敏子の気が変わらないうちに、言質《げんち》を取ろうというのだろう。いつもながら、彰之は速攻だった。

「お夕飯、どうしようか。お母さん、何か取る？」

美保が電話台の側に置いてある蕎麦屋や鮨屋《すしや》のメニューを手にして、甘えるように言った。

「いいけど、割り勘よ」

敏子の言葉に、美保は驚いたように肩を竦めた。

「ケチね。お鮨食べたかったのに」

敏子は彰之を指さした。

「たまには、あなたが奢《おご》ってあげなさいよ」

彰之は浮かない顔をする。

「やだよ、俺、金ないもん」

「じゃ、コンビニのお弁当でいいわ。美保、買って来てちょうだい」

美保は唇を尖《とが》らせた。

「やめてよ、あたしコンビニの店員やってるんだから、コンビニ弁当なんか毎日食べてるんだよ」

「折角だから、焼肉とかやらない？」

彰之がちらりとキッチンを見た。

「あなたたち、いい加減にして。いい加減にしてよ」敏子は思わず怒鳴っていた。「好きな時に来て、甘えるのもいい加減にして。ここは私の家なのよ。あなたたちが私にしたことで、私が傷付かないとでも思っているの」

敏子の反撃が予想外だったのか、彰之はたちまち顔を紅潮させた。友人たちにぶちまけた時と同じだった。後味が悪くても何でも、遠慮してしまって後悔するよりはい い。敏子はそう思った。いったん表すことを知ってしまった敏子の憤懣《ふんまん》の流出は、止めどがなかった。

和世の言葉が脳裏に蘇《よみがえ》った。『敏ちゃんがもっと子供たちを怒ればいいんじゃないかしら』。このことだったのだ。自分は怒りを胸に溜《た》めていたのだ、と気付く。

「我慢してたけど、もういいわ、言う。この際だから話すわね。私、彰之に言いたいことがあるの。あなたは、由佳里さんのご実家が千葉にあって、運送業をしていると言ったわね。初耳だわ。何で、由佳里さんのご両親に私は一度も会わせて貰えないの。長男のお嫁さんのご実家なんだから、親戚《しんせき》じゃない。挨拶ぐらいしなくちゃ、私だって申し訳ないわ。あちらもそうでしょう。違うかしら。それが結婚ということなのよ。なのに、あなたは責任感がなさ過ぎる」

彰之は、不快そうに下を向いていた。が、美保は矛先《ほこさき》が兄に向いているので余裕で聞いている。

「そもそも、由佳里さんとの結婚だって、私たちにだけ何も知らされてなかったのに、あなたは突然帰国して来て、この狭い家に私と一緒に住む、と無茶を言った。そんなのおかしいわよ。いくら親子だって横暴過ぎる。この家にはね、私とお父さんの穏やかな暮らしがあったのよ。それがある日突然、お父さんの死で断ち切られた。私は自分で自分の人生をやり直さなくちゃならないのに、あなたはどうしてそれを踏みにじるの。なぜ、私が立ち直るまで待てないの？　私はまだ五十九歳なのよ。あなたたちから見たら年寄りかもしれないけど、老人じゃないわ。中途半端《はんぱ》な年頃よ。なのに、何で八年振りに会ったあなたの家族に老人として扱われて、面倒見て貰わなくちゃならないのかしら。私、断固として抗議するわ」

興奮したせいか、息が切れた。すると、彰之が憮然《ぶぜん》として言った。

「だって、いつ何時、何があるかわからないでしょう。俺も由佳里も好意だったんだよ。優しさだったんだよ」

最後はふて腐れて聞こえた。美保が口を開きかけたが、ちょっと待ちなさい、と敏子は手で制止した。

「私は優しくないと思った。私がお父さんの死を悲しんでいるのに、時間がないと言っていろんなことを決めたがったじゃない。それに、お父さんの遺言を聞いたと言うけど、そんなこと聞いたことないわ。それが本当だとしても、私は、お荷物みたいに誰かに預けられたくない」

彰之は顔を上げ、美保に同意を求めた。

「荷物だなんて誰も言ってないじゃない。飛躍だよな。被害者っぽいよな」

「そうね、ちょっと論理の飛躍だよね」

美保が口を挟んだので、敏子は美保の方に向き直った。

「美保も美保よ。一度、出て行ったんだったら、うちに帰る時は、ひと言、連絡してから来なさい。合い鍵を持ってるからって、自由に出入りするのはお断りだわ。それと、結婚を考えているのなら、まず最初に私に話しなさい。私はあなたのたった一人の親なのよ。そして、マモル君に私に挨拶に来いって、言いなさい」

美保が不平たらしく言った。

「何、それー。水臭くない」

「水臭くなんかないわよ。礼儀でしょう。私、頭に来たから、全部言っちゃう」

敏子はソファに座り直した。これほどまでに自分が多弁で、かつ怒っているとは思わなかった。口に出しては到底言えないだろう、と思っていたが、言葉の方が勝手に飛び出してくるのだった。以前、テレビで重油が噴出する場面を見たことがあった。今の状況は、それと同じだ。敏子の心の中に埋蔵されていた黒く重い液体が、空中高く噴き上げられて飛沫《ひまつ》があちこちに飛んでいる爽快感《そうかいかん》がある。

「マジギレってやつ」

彰之がうんざりしたように横を向いたが、敏子は気にしなかった。

「私ね、この家を売るのやめた。何で、まだ若いあなたたちと大事なお金を分けなくちゃならないの。この家も貯金も私のものよ。私がお父さんと倹約して、家も貯金も作ったの」

「どういうことだよ。話が違うだろ」彰之が喰《く》ってかかった。「お母さん、俺たちが可愛《かわい》くないのかよ」

敏子は再びグラスの水をゆっくり飲んだ。敏子の一挙手一投足を、二人の子供が息を潜めて見つめている。それも快感だった。敏子は二人を交互に見た。

「そりゃ我が子だもの、可愛いに決まってるわよ。あなたたちが死んだら、私も死にたいと思うくらい悲しいでしょうね。子供はかけがえがない存在よ。それは当たり前」

「死ぬなんて、極端な話をしないでよ。毎回言うこと違うんだから、俺もやってらんないよ」

彰之はポケットをごそごそ探り、取り出したケントに火を点けた。

「あれ、いつの間にか、煙草吸ってやんの」

以前、喫煙を彰之に厳しく注意された美保が嘲笑《あざわら》った。

「いいんだよ、ここは日本なんだからよー」

彰之は、煙草を吸いながら貧乏揺すりをしている。美保も煙草に火を点け、二人は栄子の吸い殻が残っている灰皿に同時に灰を落とした。

「お母さん、結論は何」

じりじりと煙草を根元まで吸った彰之が、顔を見ずに聞いた。敏子は思っていたことを告げた。

「結論はね、私はこの家に住み続けるの。一千万の貯金も生命保険も私のもの。老後の、いや、これから生きるための資金として遣うわ。私が死んだ時、初めて、二人でこの家を分けなさい」

その頃はもう現金など溶けてなくなっていることだろう。いや、家も。和世が言っていたケア・マンションのことが頭を過《よ》ぎった。動けなくなったら、家を売ってケア・マンション。和世が言わなかったら、そんな発想も持ち得なかった。

「待って、訂正させて。私が残せたものがあったら、二人で分けなさい」

「嫌だって言ったら」彰之が凄《すご》んだ。「法定相続って、法律で決まってるんだぜ。それとも、オヤジの遺書でもあったのかよ」

「遺書はないけど、遺志は感じられるの。逆だったら、お父さんだってそうすると思うな。私が先に死んだら、きっとこの家に一人で暮らして最後はケア・マンションよ」

そう言いながらも、実は自信がなかった。隆之は伊藤昭子と暮らそうと思ったに違いない。沈んだ敏子に、美保が言った。

「残念でした。お母さんは財産がありません。だから、お父さんは何も悩まなくていいの」

「あ、そうか」

敏子が笑うと、彰之も美保も釣られて笑った。刺々《とげとげ》しくなった雰囲気が一気に和らいだ。空腹らしい美保が、残った煎餅《せんべい》を囓《かじ》りながら言った。

「兄貴も少し強引じゃないかな。お母さんが困るのもよくわかるよ。八年ぶりに帰って来て、いきなり一緒に住むと言われたって、お母さんだって戸惑うでしょう」

「だからあ」彰之は声を荒らげた。「俺は優しい心で言ったんだぜ。老人の一人暮らしは寂しいって」

彰之は五十九歳の自分を老人と思っているのだ。敏子は可笑しく思ったが、三十五歳の息子から見れば、もっともなことでもあった。

「もういいわよ、美保。一緒に暮らさないことは決まってたんだから」

敏子は美保を諫《いさ》めた。

「でも、そこが問題な訳でしょう。長男である兄貴がお母さんの老後を見るから一緒に住んで、この家も貰う。あたしには二百万くらいくれて。お母さんが一人で暮らしたいのなら、義務はないから、法定相続できちんと貰えるものは貰う、と。でも、何か変だよね」

美保は曖昧《あいまい》な顔をした。

「何が変なんだよ。お前だって、金欲しいって言ったばかりじゃない」

「そりゃ、貰えるものなら貰いたいわよ。悪い？」

論争は、兄妹間に移っていた。敏子は二人の遣《や》り取《と》りを聞きながら、どうしたものかと思案している。美保は折れてくれそうだが、彰之は強硬だ。

「じゃ、お前は遺産放棄するのか」

「あたし一人がするんじゃ、不公平じゃん」

ほら見たことか、と彰之が勝ち誇ったような顔をした。敏子はきっぱりと言った。

「あなたたちが私の提案を呑んでくれないのならば、私は親子の縁を切るわ」

すげえ、と彰之は叫び、腕組みをして目を瞑《つむ》ってしまった。考えているのだろう。なかなか結論は出そうにない。電話が鳴った。敏子は立ち上がり、受話器を取った。

「先日、伺いました今井でございます」

蕎麦打ちの師匠、今井からだった。敏子は先だっての弔問の礼を述べた。彰之と美保は論争に疲れたのか、テレビを点けてニュース番組を眺めている。相続問題も延期になりそうだった。

「奥さん、その後、いかがですか。お体など壊しておられませんですかね。伴侶《はんりょ》を喪《うしな》いますと、最初は心、次は体にきますから要注意ですよ」

今井は能弁だった。敏子は相槌《あいづち》を打つのみで、ほとんど今井が喋っている。

「お電話しましたのは、他でもございません。実は、私共の教室では蕎麦の食べ歩きなんていうのもやっておりましてね。今度、奥さんを是非お誘いしようという話になってるんですよ。メンバーが三人おりまして、その中の一人が、ご主人がよく行く、と言っていたお店のことを思い出しましてね。奥さんをお連れして、皆で関口さんを偲《しの》ぼうということになったんです。一緒に行きませんか。店の名は、『阿武隈《あぶくま》』というます。私はまだ行ったことがないのですが、手打ち蕎麦で有名なんだそうです」

敏子は反射的に胸を押さえていた。「阿武隈」の名を再び聞くとは思わなかった。無論、今井は敏子の胸の裡《うち》になど気付く様子もなく、滔々《とうとう》と喋っている。

「奥さんは『阿武隈』に行かれたことは」

「ありません」

敏子は消え入りそうな声で答えた。今井は嬉しそうに続けた。

「ご主人はお目が高いですよ。蕎麦のみならず、つまみがなかなかいける、というのがメンバーの塚本君の報告です。蕎麦刺し、蕎麦揚げ、蕎麦味噌《みそ》、蕎麦尽くしだそうです。蕎麦焼酎《じょうちゅう》を飲みながら、そのつまみを食べて、最後に十割蕎麦で締め、というコースが最高にいいんだそうですよ。塚本というのは、デパート業界に長くおりましてね。最後は営業部長だったかな、遣り手の遊び人だったそうですから、彼の言うことに間違いはありません。ご主人から塚本の名前を聞いたことはありませんか」

そう言えば、蕎麦教室に元デパートの人間がいて、何でも知っている、と隆之が言ったことがあるような気もするが、印象は薄かった。元々隆之は無口で、ニュースの感想などをぼつりと言うことはあっても、敏子に意見を求めたり、議論を楽しんだりもしなかった。噂《うわさ》話の類《たぐい》も好まず、敏子が友人との長電話で他人の噂をしていると、露骨に嫌がった。隆之の付き合いは、会社の同期の人間に限られ、友人もそう多くはないはずだ。闊達《かったつ》な今井と全く正反対の隆之は、蕎麦打ち教室でどう過ごしていたのだろう、と不思議に思えるほどだ。おそらく隆之は、伊藤昭子のところで何でも語っていたに違いない。またしても、妄想がむくむくと膨らみそうな気配がある。

「関口はあまり喋りませんでしたから」

口調に恨みが籠《こ》もっていたのが伝わったのか、今井は慎重な言い方になった。

「まあ、蕎麦打ちは男の遊びの究極ですからね。関口君は詳しいことを奥さんには言わないで、一人で楽しんでいたんでしょう」

今井は、自分の証言によって隆之の嘘が明らかになった経緯を思い出したのだろう。当たり障《さわ》りのないことを言った。

「楽しいご趣味で羨《うらや》ましいです」

敏子が適当に返すと、今井はややむきになった。

「趣味と言えば趣味でしょうし、生き甲斐《がい》と言えば生き甲斐でしょう。でも、僕にとってはそれ以上のものですね。蕎麦打ちは僕自身です」

「すみません、余計なことを言って」

どうやら、趣味という言葉が気に障ったらしい。敏子が謝ると、今井は笑い声を上げた。

「いやいや、奥さん、気にしないでください。それでね、『阿武隈』はどうしますか。行きましょうよ。いつまでも泣いてばかりいたら、関口君も悲しがりますよ」

「是非、ご一緒させてください」

怖いもの見たさとはこのことか。プチ家出以来、敏子の心は、とことん行きなさい、後悔しなさんな、と自分を叱咤《しった》激励し続けているのだった。結果が自分を傷付けようと、人生の残り時間はさほど多くはない。それに、今井の親切な申し出を無下にはできなかった。今井はほっとしたように塚本の話を始めた。

「奥さん、塚本君ですがね。とてもいい男なんですよ。ちょっと、デパートマンの典型で気障《きざ》ですけどね。蕎麦打ちの道具をオーダーで揃《そろ》えましてね、百万以上かかったでしょうね、あれは。今は北海道に蕎麦畑を買おうか、なんてことまで口走ってますよ。徹底的にやる男なんでしょうな。関口君にはそこまでの熱心さはなかったねえ」

今井は思い出しているのだろう。言葉が途切れた。長話をしている敏子を、彰之と美保が怪訝な表情で窺っている。

「関口は案外、無精でしたしね」

敏子は仏壇の写真を眺めながら言う。今井は、大声で笑った。

「蕎麦打ちも上達は遅かったですけどね、木訥《ぼくとつ》でいい男でしたよ」

はい、と敏子は答える。木訥としか言いようのない不器用な夫。その夫に愛人がいたのだ。しかも、愛人の店に自分は乗り込もうとしている。動悸《どうき》が激しくなった。

「それじゃね、奥さん。六月の日曜は如何ですか。昼飯をそこで食べましょう。メンバーも奥さんが行くと聞いたら、全員が行くと思いますよ。奥さんにご紹介いたしましょう」

細かいことを決め、今井は電話を切った。

敏子は、電話台の前の壁に掛けてある鏡を覗《のぞ》いた。疲れた表情の自分が映っていた。しばらく美容院に行ってないので、白髪が目立っている。顔の皺も深くなった。初夏の服も新調しなければならない。昭子に負けたくない。俄《にわか》に焦った敏子は、顔の皺を引っ張ってみた。

「お母さん、誰からの電話だったの」

美保が、ソファから顔だけをこちらに向けて尋ねた。

「今井さんて人。お父さんの蕎麦打ち教室の先生だった人よ」

「蕎麦打ちかあ。お母さん、お蕎麦食べたくない？　何か取ろうよ。お腹空《なかす》いた」

七時過ぎだった。店屋物を取るのは気が進まなかったし、急に勿体無《もったいな》い気がしてきて、敏子はキッチンに入った。冷蔵庫の中を見て、あり合わせの総菜を作ろうと思う。

美保が、がっかりした様子で言った。

「これから作るの。遅くなっちゃうよ」

構わず、米を研いでいたら、横に彰之が立った。

「さっきの話だけどさ、お母さんの気持ちが一日で変わったのは解《げ》せないな。俺はやっぱり反対させて貰うよ。親子の縁を切る、とまでお母さんは言ったけど、そんなことして、家も貯金も独り占めして楽しいのかな」

何という言い草だろう。敏子が今井と話している間、彰之は不利な態勢を立て直したらしい。敏子はむっとして口を利《き》かなかった。敏子の無言の抗議に彰之はむかっ腹を立てたらしい。ソファの上に投げ出してあったショルダーバッグを摑《つか》み、玄関の方に歩いて行く。

「兄貴、どこに行くの」

美保が彰之に聞いた。「メシ」と、彰之はぶっきらぼうに答えた。

「あたしも行く」

彰之が無視したので、美保は文句を言った。

「わざわざ都合付けて来たのに、もうこの問題は話さないの」

「話したって無駄だよ。お母さんはもう一度人生を楽しくやりたいんだから」

それのどこが悪いのだ。少しでも楽しく生きるためには、最低限お金が要るし、家も必要だ。誰にも遠慮せずに自立して暮らそうとしているのに、なぜ彰之はわかろうとしないのか。敏子は脱力して、キッチンシンクに寄りかかった。紛糾ばかりしていた一日が重い。

「馬鹿《ばか》みたい。お母さん、あたしも帰るわね」

気を悪くしたらしい美保がジージャンを羽織った。敏子は美保の目を見た。ふて腐れてはいるが、美保もまた混乱しているのだろう。敏子は帰り支度をしている娘の背に聞いた。

「美保はどう思うの。正直に言って」

美保はすぐには答えず、バッグからウーロン茶のペットボトルを取り出し、ひと口飲んだ。本音を言いたくないのだ、と敏子は感じた。

「あたしはあたしの問題があって、それで手一杯な感じなんだよね。だから、お母さんの大変さもわかるし、力になりたいけど、自分のことがまず先なのよね」

彰之もそうなのだ。家族を抱え、生活に困り、日本に帰国したのはいいが、仕事が思うようにいかない。だから苛立ち、焦り、貰えるものは貰いたい、とはっきり言ってくる。敏子は、美保が言葉を選んでいる様子を見ながら、娘からどんな意見が出てくるのか、怖《おそ》れつつも、辛抱強く待っていた。

「お母さんに報告するの遅れて悪かったけど、あたしはマモルと結婚しようと思うの。でも、あいつ、前橋の酒屋の長男でしょう。あいつと結婚するってことは、あたしも前橋に行くってことになるらしいのよ。それが嫌で、何とか東京に留まりたかったんだけど、いつまでも二人でコンビニの店員なんかやってられないじゃない。それで、諦めたのよ、あたしも。年貢《ねんぐ》の納め時って奴?」

美保が物理的にも精神的にも、自分から離れて行く。目出度《めでた》い話なのに、敏子は痛みを感じて聞いていた。敏子は、いつかは美保とマモルと同居して、孫の顔を見ながら暮らしたい、と漠然と願っていた自分に気付いた。しかし、美保がマモルと結婚したら、夢は叶《かな》わないのだった。

「お母さんが焦る気持ちもわかるよ。コンビニに来る人見てると、少し社会が伝わるっていうか。今の中高年って、みんな余裕があるんだよ。勿論《もちろん》、そうじゃない人も沢山いるけど、全体的にはお金をまあまあ持っていて、充実している感じ。世のおばさんたちって、お母さんの友達みたい。安定した生活を、楽しんでいる。あたしはお母さんにそうやって暮らして貰いたいの。あたしが困った時は助けてほしいし、帰る実家が欲しい。だから、お母さんがこの家を売ると言った時はちょっと寂しかった。この家があって、お母さんが楽しく暮らせるのなら、あたしはその方がいい」

敏子は涙ぐみそうになった。美保の言葉が嬉しかったのだ。

「だけど、兄貴が強硬で、兄貴だけが得するのは嫌だって気持ちも強いのよ。あたしだって、お金は欲しいもん。兄貴はあたしが結婚しちゃえば、マモルの家のお金を貰えるんだからいいじゃないかって言うけど、世の中そんな甘くないよ。マモルの家だって、生き残りに必死なんだから、あたしだって、自分のお金持って、自分の身を守りたい。そうでしょう」

その通りだ。敏子は、嫁ぐ美保には彰之に内緒で資金を持たせたい気持ちもあった。

「だからね、お母さん。あたしもどうしたらいいのか、結論は出ないのよ」

美保はそう言って、ペットボトルをバッグに仕舞い、ファスナーを閉めた。

「わかった。もう少し考えるわ。お父さんの遺したお金が中途半端だからいけないのよね」

敏子が愚痴をこぼすと、美保が笑った。

「何言ってるのよ。贅沢《ぜいたく》だって、マモルに言われたよ。東京に家があって、貯金だってあるんだから幸せだって。お母さんが、これから先、どれだけお金が要るって、そればっか考えているから、足りない、足りない、と思っちゃうんでしょう。幸せな方だと思うよ。年金もあるんだから、何とかなるんじゃないの」

何とかなる、という考えをどうしても持てない自分がおかしいのだろうか。敏子は、美保と自分の描く未来が大きく異なっているのだと思った。美保には、まだ明るい未来が広がっている。結婚、子供、仕事。今日、いみじくも栄子が言ったように、自分の未来はあと二十年。それも、老いや病気が待っている暗いものだ。夫もいない自分が頼るのはお金と健康だけなのだ。この実感は、若い者とはどうしても共有できない。やはり、家も貯金も子供たちに分けることはしたくない。いや、今、分けるのは間違っている。

「じゃ、また来るわね」

美保は携帯電話でメールチェックしながら、軽やかに出て行った。何か嬉しい伝言でも入っていたのだろう。楽しそうに跳ねている。

敏子は急にしんと静まり返った家で、大きく息を吐いた。夕飯の支度の最中だったことを思い出し、椅子の背に掛かっていたエプロンをする。米を三合も研いでしまったことが悔やまれた。寂しさが募った。家に居て、娘や息子がいる方が寂しさを感じるのはどういう訳だろうか。一人で暮らしていれば、きっと違うのだろう。敏子はそう思いながら、炊飯器のスイッチを入れた。

第六章　水底の光

今井たち蕎麦《そば》打ち教室のメンバーとの待ち合わせ場所は、西武池袋線の大泉学園駅改札口だった。午前十一時半集合ということだったが、敏子は四十分前には着いていた。緊張気味で、落ち着かないせいだった。朝早くから目が覚めたし、遅れては今井に迷惑がかかる、と予定より早く自宅を出たのだった。しかも、伊藤昭子の店に行くのだ。先方は自分が行くことを知らないと思うと、奇襲攻撃をかけるような昂《たか》ぶりもある。

改札口で長時間立って待つのも嫌だったので、敏子は駅に隣接して建っている新しいビルに入った。一階がスーパーマーケット、上階には飲食店や書店などが入っているらしい。敏子はエスカレーターに乗った。二階の喫茶店でコーヒーでも飲んで、時間を潰《つぶ》すつもりだ。

エスカレーターの壁面が鏡になっている。敏子は上階に運ばれながら、横目で自分の姿を検分した。昨日、この日のために久しぶりに美容院に行ったのだ。栄子の真似《まね》をして、髪を明るい茶に染め、短く切ってパーマをかけた。最後に美容院に行ったのは、隆之が亡《な》くなる数カ月前だったから、ほぼ半年ぶりに髪を整えたことになる。敏子は、髪型を変えただけで、明るい表情になった自分が嬉《うれ》しかった。いつもは口紅を引く程度だが、今日は念入りに白粉《おしろい》をはたき、眉《まゆ》をきちんと描いている。我ながら、若く見える。

新調した服は、明るい茶のスーツだ。店員に勧められて一緒に購入した、水色と青の花柄ブラウスを下に合わせている。バッグと靴まではさすがに手が回らなかったので、手持ちの物で我慢しているが、黒のバッグは、初夏らしい軽快な装《よそお》いには重苦しかった。黒のパンプスも形が崩れている。それに、青いラピスラズリのネックレスが服と合わないように思えてならない。真珠のネックレスを付けたのだが、改まり過ぎる気がして、出がけにラピスラズリに替えたのがまずかったようだ。野暮ったい。折角の装いに欠点を発見してしまうと、自信を失う。

敏子は、伊藤昭子がピンクのマニキュアをしていたことを思い出し、何の手入れもしていない自分の爪《つめ》を眺めた。荒れて、節が目立つ醜い手。どんなにお洒落《しゃれ》をしても、手を見れば、自分が家事労働に勤《いそ》しむ専業主婦だとひと目でわかってしまうだろう。

家を出る時は、鼻歌を歌い出しそうになるほど浮かれていたのに、敏子は急に意気阻喪した。つくづく、自分は外出慣れしていないと感じられるのだった。

敏子はビルの洗面所に入り、鏡の前でネックレスを外したり、付けたりを繰り返した。小さな子供を連れた若い母親が横で手を洗っているので、どうでしょう、と思わず聞いてみたいほどだった。勿論《もちろん》、その勇気はない。しかし、装飾品を欠いた首許《くびもと》は寂しく、服に合わないネックレスでも付けていた方がいい気がして、敏子はラピスラズリのネックレスをやはり付けることにした。そして、どうして自分はこんなに自信がないのだろう、と自分が嫌になるのだった。これまでは、出かける時に隆之の目があったから、何となく安心していたのだと気付き、老人の一人暮らしとは、自信喪失との戦いでもある、と溜息《ためいき》を洩《も》らした。

彰之は、三日前に家族が到着し、慌《あわ》ただしく千葉のマンションに移って行った。その後、一本の電話も寄越さないので、敏子は苛立《いらだ》ちを覚えていた。一緒に住む、とまで言った癖に、住所すら教えて貰《もら》っていないのだ。相続問題は、決裂したままだ。

洗面所を出たところで、対面の男性側から現れた白髪の男とぶつかりそうになった。男は、灰色のトレーナーに真新しいジーンズ、白いスニーカー、という若者風の姿だ。トレーナーの背中には、派手な英語のロゴが入っている。が、顔は皺《しわ》んでいて、どう見ても六十歳前後だった。そのちぐはぐな若作りの格好は目立った。擦れ違う若者が笑いを堪《こら》えている。

「すみません」

敏子が謝ると、男は戸惑ったように手を挙げて会釈《えしやく》した。その瞬間、オーデコロンがぷんと匂《にお》った。洗面所を出た後も、男は店の鏡に映った己の姿を何度も確認している。あの人も自分の装いに自信がないのかもしれない、と敏子は気の毒に思った。

待ち合わせ時間の十分前、敏子は改札に戻った。すでに今井が来ていた。以前も着ていた茶のジャケットを羽織った今井は、駅の売店で雑誌を買っているところだった。目が合ったが、気付かない様子で金を払っている。

「今井さん、関口でございます。今日はお誘いいただいて、ありがとうございます」

敏子は言葉をかけた。今井は驚いた様子で振り返り、目を瞠《みは》った。

「これはどうも、奥さんでしたか。お元気になられたようですね、見違えましたよ。いやあ、今日は素敵ですね」

無論、悪い気はしない。敏子は、口許を手で押さえ、込み上げる笑いを隠した。今井は好ましそうに敏子をじっくり眺めた後、雑誌を振りかざした。

「僕ね、この本が好きで毎号買ってるんですよ」

隆之も時々買っていたシニア向けの趣味的な雑誌だ。敏子の声が弾む。

「関口もよく読んでいましたっけ」

「うちのメンバーは皆、読んでますよ」今井は嬉しそうに付け加えた。「今度の特集は、男の筆記具だそうでね。ちょっと畑違いですが」

電車が着いたらしく、改札を抜ける客の数が多くなった。二人の男が連れ立ってやって来て、今井に頭を下げた。一人は老人というには申し訳ないような、身だしなみの良い立派な男だ。白いポロシャツに紺のブレザー、グレイのパンツ。陽灼《ひや》けした顔と白髪が紺のブレザーに映えて、好ましい。デパート業界にいたという塚本だろう、と敏子は見当を付けた。六十代半ばか後半らしいが、歯が白く、若々しいし、何よりも服装が垢抜《あかぬ》けていた。もう一人は塚本より年下の、地味な男だった。痩《や》せた体に、戦場カメラマンが着ているようなポケットの沢山付いたベスト、カーキ色のパンツ。山登りや写真撮影が好きそうだ。小柄なので、どことなくネズミを思わせる風貌だ。

「今井さん、こちらの方が関口さんの奥さんですよね。前に僕は」

塚本の言葉が終わらないうちに、今井がせっかちに引き取った。

「そうです。奥さん、これが噂《うわさ》の塚本君、この人は何でも洒脱でね、僕ら、皆で見習わなくちゃと言ってるんですよ。あちらが辻《つじ》君。辻君は、高校の先生です。何を教えているんだっけ。ああ、国語だ、国語の先生」

心なしか、今井は塚本だけに気を遣っている様子だ。塚本と辻は、敏子に挨拶《あいさつ》した。

「奥さん、この度は突然のことでご愁傷様です」

押し出しのよい塚本がまず口を開く。辻は真面目《まじめ》な顔で頭を下げた。

「皆様にお葬式にいらしていただきましたのに、きちんとご挨拶もできませんで、大変失礼いたしました」

「本当に驚きました。僕はショックでした」

辻が敏子に向かって言った。痩せていても声量はある。姿勢の良さは、いかにも高校の教壇が似合いそうだった。塚本がしみじみと言った。

「突然の訃報《ふほう》には僕もびっくりしましたよ。関口さんはいい方でね。蕎麦打ちはあまり熱心じゃなかったけど、話が面白くて楽しい人でした」

おや、隆之は同年代の男たちとの会話を楽しんでいたのだろうか。敏子は、夫を知っているようで知らなかったのだ、と改めて思った。

「やあ、皆さん。お揃《そろ》いですね」

掠《かす》れた軽い声がした。振り向くと、ビルの洗面所で鉢合わせした男が立っていた。敏子は偶然に驚いて、思わず声を上げてしまったが、男は敏子に気付いた風もなく、誰にともなく頭を下げた。それから敏子に向き直る。

「関口さんの奥さんですか。どうも、この度は大変なことで、お葬式に伺えなかったのが、心残りです。申し訳ございません」

今井が男を紹介したが、辻以上にぞんざいだった。

「この人は小久保さん。小久保さんは、元リゾートの会社にいたんだよね」

塚本や辻には「君」付けだったのに、小久保だけ「さん」付けだ。今井の、小久保に対する距離を感じた。ばかりか、今井は小久保が苦手らしく、あまり目を合わせようともしない。

「じゃ、揃ったところで行きましょうか。塚本君、案内してくれたまえよ」

物言いが古めかしい。そのことに気付いているのか、塚本が白い歯を見せた。塚本は周囲を明るくする陽性の魅力がある。一同は、駅の階段を下りて、ビルとは反対の方向に向かった。

道すがら、敏子は小久保と並んで歩いた。道案内をする塚本は、今井と話しながら少し先を歩いている。辻は二人にくっ付いているので、自然、足の遅い敏子と、三人とは馴染《なじ》まない感じの小久保とは一緒になってしまう。小久保は前を行く三人を指さした。

「あの中で一番年寄りは誰かご存じですか」

「皆さん、関口と同じくらいではないですか」

小久保は、ちゃうちゃう、と首を振った。案外、お調子者のようだ。

「師匠の今井さんが長老。で、六十九歳。続いて塚本さんが六十七。若いですよね、ほんとに。その次は僕で六十一。辻さんはまだ現役の先生で、五十七歳。ところで、関口さんは幾つでしたかね」

「私は五十九です」

「いや、奥さんじゃなくて、関口さんですよ」

敏子は恥ずかしくなった。自分が関心を持たれている、と舞い上がっているように受け取られてはいまいか、と焦《あせ》ったのだ。しかし、小久保は敏子の心中など気付きもしない様子だ。

「僕がいた会社はね、ゲンジンランドというリゾート企画会社でした。第三セクターのリゾート企画ですよ。見事、倒産してしまいましたけどね。その後は、あちこちの会社を渡り歩いて、いつの間にか仕事がなくなっていた。だから、蕎麦打ち職人になろうと思って、投資してるんですよ」

小久保は趣味や生き甲斐《がい》ではなく、実利としての蕎麦打ちを目指しているらしい。

大丈夫か、と敏子は心配になった。

「奥さん、ゲンジンランドって聞いたことありますか」

前を行く三人と、段々、距離が開く。敏子は自分のことばかり話す小久保が、多少煩《わずら》わしかった。今井はともかく、塚本と話したかったのだ。店に着く前に、知っておきたいことがあった。隆之は、どういう状況でどのように「阿武隈《あぶくま》」の話を塚本にしたのか、と。だが、小久保は話し相手が出来て嬉しいらしく、悠々と喋《しゃべ》り続けていた。

「福島県の内田町というところで、旧石器時代の化石が出ましてね。数十万年前、そこに原人が住んでいたことがわかったんですよ」

「ああ、それでゲンジンランドですか」

敏子の驚きに、小久保は満足そうに笑った。

「何にもない町なんで、町興《おこ》しにちょうどいいということで、いろいろ企画が出たんですよ。原人サブレとか、原人酒とか、何でも原人を付けて売り出したけど、それだけじゃ、ぱっとしないってんで、観光客に原人の暮らしをして貰おうというテーマパークの話が持ち上がりましてね。畑潰して、マンモスの模型を入れたり、大騒ぎですよ」

敏子はついつい話に引き込まれた。

「お金かかったでしょうね」

「そりゃあ、もう。でも、第三セクターも仕事が出来たっていうんで、皆、大張り切りでしたよ。おばちゃんからも沢山アイデアが出てね。原人鍋《なべ》はどうだって。鍋に焼け石入れて、調理しようって。原人カルチャーセンターも作ろうってね」

「それは何ですか」

敏子の質問に、小久保は自慢げに応じた。小久保もすっかり興が乗っている。

「石包丁《いしぼうちょう》を手作りして、実際にそれで料理するんですよ。獣皮なんか、綺麗《きれい》に剝《は》がれるんです。楽しかったです」

小久保は夢見るように言った。

「奥さん、このお店です」

今井が一軒の店の前で手を振った。とうとう、「阿武隈」に着いた。敏子はどきどきした。

手打ち蕎麦の店と言うからには、日本家屋風の建物を想像していたのだが、「阿武隈」は予想に反して、白木のモダンな造りだった。嵌《は》め殺しのガラス窓に六月の陽光が照り映えて、窓辺にカランコエの鉢が並んでいる。蕎麦屋というより、カフェと呼ぶ方が似合っていた。

今井と塚本が先に入った。続いて、辻。伊藤昭子はいるだろうか。早く確かめたい一方で、突然来訪する遠慮も感じないではない。服に合わないネックレスも気になる。敏子は急に気後《きおく》れした。

「奥さん、どうしてゲンジンランドが潰れてしまったか、興味ありますか」

小久保は敏子と話したいらしく、まだ問いかけてくる。敏子は混乱した気持ちを抑えて、小久保を振り返った。

「お客さんが来なかったとか、ですか」

「違うんですよ、旧石器が出た、なんて嘘《うそ》だったたんです」

「そう言えば、そんな事件がありましたね」

敏子の反応に、小久保は満足げな様子だった。

「内田町のもそうだったんですよ。それでパー。がっくりきましてね、僕らも」

なおも続けたそうな小久保を置いて、逸《はや》る思いで敏子はドアを開けた。白木のフローリング、テーブルも椅子《いす》も手作り風の、明るい店だ。中央に十人以上掛けられる大きなテーブルがあり、すでに数人の客が蕎麦を啜《すす》っていた。その大テーブルの一角に今井と塚本と辻が座っている。手前に四人掛けの席がふたつ、奥は厨房《ちゅうぼう》の周囲にカウンター席。二十三、四人しか入れそうもない。厨房も狭く、カフェの台所のようである。店は、昼時のせいか、ほぼ満席だった。

敏子は、昭子の姿を探した。が、昭子は店には見当たらない。厨房に入っているのか、と怖《おそ》る怖る覗《のぞ》いたが、昭子の娘夫婦らしい中年の男女と、手伝いの若い女が紺のエプロン姿で、忙しそうに働いていた。

辻と並んだ塚本が、敏子に自分の向かい側の席に座るよう、手招きした。端っこに陣取った今井は、他人が食べている蕎麦を凝視している。探究心が旺盛《おうせい》なのか、真剣な表情だ。敏子は相席の客に会釈して、塚本の前に座った。小久保は、当然のように敏子の横に腰掛けた。

「奥さんは、この店は初めてですってね」

塚本が優しい口調で聞いた。

「はい、関口は連れて来てくれませんでした」

自分を伴える訳がないのだ。

ここは昭子の店。敏子は、次第に怒りが滾《たぎ》ってきた。敵地に乗り込んだ感がある。

そんなことも露知らず、塚本が思い出すように店の壁を眺めて言った。

「関口さんは、ああ見えても亭主関白だったのかなあ。僕はてっきり奥さんと蕎麦の食べ歩きでも楽しんでいるのかと思ってた」

「塚本さんは奥さんと仲がいいからね」

小久保が口を挟む。瞬間、蕎麦屋にそぐわない安いオーデコロンが匂った。

「そんなことないですよ。怖いだけです」

男たちが、ふふっと笑った。男やもめの今井だけは笑わずに真剣な表情を崩さない。

敏子は、塚本の妻が羨《うらや》ましかった。自分は奪われてしまった穏やかな夫婦の老後の姿が、そこにあるような気がした。

「関口と出歩いたことはありませんのよ。あの人は、案外、秘密主義でしたから」

「何の秘密があったのか」

塚本は言葉を切って磊落《らいらく》に笑った。塚本は敏子にお絞りを手渡したり、会話に引き入れようとしたり、何かと気を遣ってくれる。敏子は塚本に好感を持った。

「奥さん、関口さんはこの店を一押しだったそうですから、今日は彼を偲《しの》びましょう」

辻がお絞りで顔を拭《ふ》いた後、老眼鏡をかけ直しながら姿勢を正した。眼鏡を外して、熱心にメニューを睨《にら》んでいた今井は、辻の言葉を聞いていなかったらしい。

「じゃ、最初は蕎麦刺しから」

一枚しかないメニューを今井が独占しているから、他のメンバーはそれを受け入れるしかない。辻はしらけた顔で頷《うなず》いた。

「ビールも飲みましょう」

小久保の提案に、皆が同意した。厨房から現れた若い女に、注文をまとめて言うのは、塚本の役割だった。にこやかなので、若い女の方も微笑《ほほえ》んでメモを取っている。塚本のような男が夫だったら、どんなに楽しいだろうか、と敏子は思う。

塚本は真っ先に敏子のグラスにビールを注いでくれた。乾杯の音頭を取るのは、当然のことながら今井だ。

「皆さん、関口君は大事な奥さんを残して、突然、この世から去りました。奥さんの悲しみはどんなにか深いことでありましょう。しかし、関口君の開拓した店は皆の心の中に生き続けます。蕎麦こそが我らの生きる道であります。乾杯」

敏子は涙がこぼれそうになったが、辛うじて泣かなかったのは、「阿武隈」と隆之の関係を知っているからだった。

「蕎麦がきを召し上がるんでしたら、今のうちにご注文いただかないと時間がかかりますので、如何《いかが》いたしましょうか」

蕎麦を細かく切って揚げたお通しを運んできた若い女が、今井に尋ねた。

「いただきましょう」

今井が真面目な面持ちで答えた。塚本が吹きだした。

「今井さん、蕎麦屋じゃ喧嘩《けんか》腰ですね」

「そういう訳じゃないんだけどね。何かこう、研究心がむらむら湧《わ》いてきてね」

「ライバル心でしょう」

塚本が破顔一笑した。急に楽しい雰囲気になる。

「師匠以上の蕎麦打ちはどこにもいませんって。でも、この蕎麦揚げはいいアイデアですね。つまみも旨《うま》そうだ。卵焼き、食べませんか」

メニューを眺めていた小久保が、今井に話しかけたが、今井は即座に断った。

「僕は卵焼きはいいよ。それより、蕎麦を三枚食べる」

「ね、師匠は頑固者でしょう」

小久保が敏子に笑いかけた。腿《もも》と腿が時々触れるのが鬱陶《うっとう》しくてならない。敏子はそっと体を離した。小久保の態度は馴《な》れ馴《な》れしい。不快というほどではないにしても、装いも口調も、何もかもが仲間から浮いていた。誰もがそう感じているのか、不意に会話が途切れた。

「奥さんも蕎麦打ちやりませんか」

塚本がビールグラスを置いて誘った。が、今井は知らん顔をしている。敏子は即座に否定した。

「力が要りそうですから、無理だと思います」

「そうそう、女の人は大変ですよ」

今井がやっと応じた。気に入りの和世がやりたい、と言ったら、今井は何と返答するだろうか。今井とは気が合わない、と敏子は感じる。蕎麦刺しが来た。花札程度の大きさに切った蕎麦を、わさび醤油《じょうゆ》で食べる。次は蕎麦だ。蒸籠《せいろ》に薄茶色の蕎麦がいい香りを立てていた。今井が匂いを嗅《か》いだ後、割箸《わりばし》で蕎麦を摘《つま》み上げた。

「長いですね」

「しかも細い」

塚本が相槌《あいづち》を打つ。蕎麦粉だけの蕎麦は、ぼそぼそと切れるので、細く長く切るのが難しいと、常々隆之がこぼしていたことを思い出す。

「蕎麦つゆが旨いですよ」

小久保が音を立てて蕎麦を啜った後に呟《つぶや》いたが、辻が「砂糖が多いようだ」と首を振った。うん、と今井が頷く。蕎麦打ち連中は何もかもがうるさい。

厨房から、白い前掛けをした主人が挨拶に来た。これが昭子の娘の亭主だ。敏子は、ハンカチで口許を拭《ぬぐ》い、まじまじと見つめた。禁欲的な蕎麦打ち職人というよりは料理人のようだ。ふくよかな体躯《たいく》をし、坊主《ぼうず》頭に紺の手拭《てぬぐい》を巻いている。主人は手拭を取って皆に礼をした。

「関口さんのお友達の方だそうで」

「お友達どころか、師匠ですよ」

小久保が今井を指さした。

「何言ってるの、きみ」今井はやや憤然とした。「こちらのご主人に失礼じゃない。僕はあくまで素人《しろうと》なんだから」

今井の苦言を気にしない小久保がへらへら笑っているので、塚本が軽くいなした。

「いや、今井さんは玄人《くろうと》はだしですから、別格」

主人はただ微笑んで立っている。

「こちらは更科《さらしな》系ですな。一番粉でしょう」

今井の質問に、主人は鷹揚《おうよう》に頷いた。

「うちは甘皮を挽《ひ》き込んでおりまして」

「ほう、だからこういう色なんだね」

蕎麦談義に聞き入っていた塚本が、はっとして敏子を見た。

「紹介が遅れちゃって。こちらは関口さんの奥さんですよ」

主人が明らかに驚いた様子で、敏子の顔を見た。隆之と昭子の関係を知っているのだろう。

「そうですか。この度はとんだことで」

敏子はたじろがずに、挨拶を返す。

「昭子さんはどちらにいらっしゃいますの。主人が大変お世話になりまして」

敏子はそう言って背を伸ばし、厨房の奥を覗いた。雰囲気を察したのか、娘らしき中年女がこちらをちらりと振り返った。髪が短く化粧気がないので、一見すると男みたいで色気がない。紺のTシャツにジーンズ、その上から紺の前掛けを締めている。

主人がしどろもどろになった。

「義母《はは》は具合が悪くて寝込んでおります」

心の次は体が悪くなる。今井の言葉だ。夫を失ったばかりだというのに、自分はこうして出歩いているが、昭子は心底、隆之の死を悼《いた》んでいるのだろう。敏子は複雑な思いを隠した。

「では、私がよろしく申していたとお伝えくださいますか」

主人は丁寧に礼を言って、あたふたと厨房に戻って行った。早速、小久保が聞いてきた。

「昭子さんというのはどなたですか」

「あのお嬢さんのお母様ですよ」

敏子が厨房の方を見て答えると、塚本が振り返って眺めた。娘は視線を感じてか、硬い横顔で盛り付けている。

「いらっしゃったことがないのに、よくご存じですね」

塚本が怪訝《けげん》そうに言ったが、その後は、何も言わない。一同も黙って蕎麦湯を飲んでいる。塚本の目には、失敗した、という後悔が浮かんでいるようでもある。火花が散ったのがわかったのかもしれない。敏子は食欲を失い、やっとの思いで蒸籠に残った蕎麦を食べ終わった。皆も無口になって、蕎麦を食べ終わった後もしばらく何も言わなかった。しかも、客が四、五人入って来て、空席待ちしているのを潮に、さっさと出ることになった。

店を出たところで、背後から呼び止められた。

「関口さんの奥様でいらっしゃいますか」

昭子の娘らしき女が、前掛けを外しながら、敏子の方に近付いて来た。敏子が立ち止まると、娘は礼をした。

「伊藤の娘です。関口さんには大変お世話になりました。この度はご愁傷様です」

四人の男たちは、遠慮して先に歩いて行った。煙草《たばこ》に火を点《つ》けた塚本が、ちらりと敏子の方を見た。敏子の胸は躍ったが、今はそれどころではない。

「昭子さんは」

「母は入院しています」

娘は前掛けをくるくると巻いて、悲しそうな顔になった。

「どうかなさいまして」

「はあ」と、娘は迷ったらしく、なかなか言いださなかった。「ちょっと心の病気になりました」

悲しくて遣《や》り切れないのだ。本妻は元気になろうと努めているのに、愛人は喪失感で病気になる。逆だ。敏子の胸に憤《いきどお》りが込み上げてきた。

「お金のことでいらっしゃったのだと思いますが、申し訳ないと思っています」

「お金？」

何のことかさっぱりわからない敏子は、鸚鵡《おうむ》返しに言った。

「創業の時、関口さんに五百万円出していただいたことです。母は頂いた、と言ってますが、一緒に経営に参画なさると仰《おつしや》ったのに三年足らずで亡くなられてしまったから、どうしたらいいものかと。でも、うちはまだ経営が厳しいし、一応、頂いたお金でもありますから、よろしければこのまま何とかお許し願いたいのですけど。母の立場もわかっておりますが、母は何も手にしていませんし」

敏子は唖然《あぜん》として、娘の目を見つめた。隆之は出資していたというのか。ということは、「阿武隈」の創業のために、蕎麦打ち教室に通っていたということか。すべて計画的だったのだ。何も知らなかった。敏子は混乱し、額に手を当てた。

「じゃ、主人はこちらで一緒にお蕎麦屋さんをやってたんですか」

「はい、毎日ではありませんが」

急に敏子の中で疑問が氷解した。倒れる直前、隆之は「今日は十割蕎麦をうまく打てた」と、何度も繰り返していたではないか。敏子は、昭子の娘に疑問をぶつけた。

「主人が倒れた日も、こちらにお邪魔して、お蕎麦を打たせていただいていたのですね」

娘は、躊躇《ためら》いがちに頷いた。

「あ、そうです。いつになくうまくいった、と、すごく喜んでおられました。うちの主人が、関口さん上達したね、と褒めたら、とても満足なさってらして。確か、お客様にもお出ししたと思います。それくらい、いいお蕎麦でした」

「はあ、母も確かおりましたが、どうでしたか」

「お母様は」

さすがに娘は言葉を選んだ。敏子は、大きな息を吐いた。隆之はその後、何喰わぬ顔で家に帰り、さも蕎麦打ち教室に行って来たようなことを喋り散らしていたのだ。人生最後の最後の日まで、自分を欺《あざむ》いて死んでいった夫。なのに、自分は夫の最後の一日の有様をすべて知りたいと願っていた。

敏子は激しい陽射《ひざ》しを顔に受けながら、見知らぬ商店街で、何も言えずに突っ立っていた。急にものを言わなくなった敏子に戦《おのの》いたのか、娘は一礼して、そそくさと店に戻って行った。敏子はそれにも気付かず、虚《うつ》ろな思いをどうにも埋めることができずにいた。あまりにも虚《むな》しくて、涙も出ない。自転車に子供を乗せた若い主婦が、敏子にぶつかりそうになった。だが、敏子の体が、心が、動くことも、考えることも固く拒否しているのだった。もう、これ以上傷付きたくない、やめてほしい、と敏子は何度も頭を横に振った。

指先に、ラピスラズリのネックレスが触れた。何よ、こんなもの。敏子は力を籠《こ》めて、鎖を引き千切った。あんなに浮き浮きして選び、さんざん迷ったネックレスの残《ざん》骸《がい》が手の中にある。激しい後悔。自分はどうして伊藤昭子の店になんかやって来てしまったのか。知らなければ良かった。家を出る時の昂奮《こうふん》を思い出し、敏子は恥と悲しみを感じてひどくうろたえた。敏子は、両手に顔を埋《うず》めた。

「奥さん、大丈夫ですか」

切迫した塚本の声がした。先に行った男たちが、敏子の様を見て、戻って来たらしい。敏子は我に返り、塚本を見上げた。誰にも、何も、説明したくなかった。塚本は困惑を隠せない焦った表情で、敏子の腕を摑《つか》もうかどうしようかと迷っているようだ。

塚本の後ろには、目を丸くした小久保が控えていた。敏子を見て、小久保は、頭を搔《か》いたり、顎《あご》に手をやったり、落ち着かない様子だ。

「師匠と辻さんは、用事があるとかで先に帰りました。冷たいっすよね」

小久保が額から流れる汗を大判のハンカチで拭《ふ》いて、小さな声でぼやいた。

「ごめんなさい。私、ちょっと疲れちゃって」

敏子がやっとの思いでそれだけ言うと、塚本が敏子の肩を抱いて、頽《くずお》れないように体を支えてくれた。

「涼しいところで少し休まれてから帰った方がいいでしょう。コーヒーでも如何ですか」

「いいえ」敏子は小さな声で断った。

「わかりました。じゃ、タクシーで僕がお送りしましょう」

塚本が振り返ると同時に、小久保が駆け出し、タクシーを拾いに行ってくれた。案外、気の利《き》く人だ、と敏子は段々と冷静になる頭で、そんなことを考えていた。

「奥さん、申し訳ありません」小久保がいなくなった隙《すき》に、塚本が頭を下げた。「ご事情があるのも知らないで、奥さんをお連れしてしまって。私が軽率でした」

ああ、塚本に何もかもぶちまけたい。そう思った途端、敏子は塚本の胸に顔を寄せていた。商店街の人の目も、塚本が迷惑に思うかどうかも全く気にならなかった。自分は危機を迎えているのだ、余裕がないのだ、だから、仕方がないのだ。これまで考えたこともない論理が、自分を勝手に突き動かしている。頰を寄せる男のジャケットの襟の硬い感触、煙草の匂い。懐《なつ》かしかった。塚本が片手で敏子を抱くようにしてくれるのも嬉しい。男に体重を預けるなんて、何年もしたことはなかった敏子は、戸惑いながらも塚本に身を委《ゆだ》ねることをやめられなかった。やがて、眼前にタクシーが停まった。中から小久保が手を振っている。塚本が小久保に降りるよう、手振りで示した。

「僕がお送りするから」

小久保は渋々降りて来た。先に塚本が乗り、次いで身を屈《かが》めた敏子の手に、紙片が滑り込んだ。小久保の名刺らしい。敏子はやっとの思いで小久保に会釈した。タクシーが走り出した後に振り返ってみたら、小久保は真剣な表情で、親指と小指を伸ばした握り拳《こぶし》を耳に当てて、ひらひらする仕種《しぐさ》を何度も繰り返していた。電話をくれ、という意味だろうか。

「関口さん、お宅は今、お一人なんですか」塚本が尋ねる。敏子は、はい、と小さな声で答えた。「じゃ、運転手さん、新宿西口にやってください」

敏子ははっとした。自宅の方向ではない。が、塚本は優しく敏子の方を見遣《みや》った。

「具合はどうですか」

「もう大丈夫です。すみません、取り乱して」

「いいんですよ。どうですか、これからお酒でも飲みに行って、少し話しませんか」

塚本に話したい、と一瞬思ったのは確かだが、事態がその通りに進んでいくと、逆に慌てる気持ちもある。敏子は緊張した。塚本は敏子の気持ちを和らげるように、膝《ひざ》の上に揃えた敏子の手をそっと握り、運転手に聞こえないように低声《ていせい》で言った。

「関口さん、辛《つら》い時は誰かに話した方がいいんですよ。僕ら、もう照れる歳《とし》じゃない。お互いに、ざっくばらんに話しましょう。それであなたの気が楽になるのなら、僕はいくらでも聞きますよ」

甘えていいのだろうか。敏子は迷っていた。だが、塚本は重ねて言うのだった。

「つい、この間、ご主人を亡くされたばかりなのに、人生の苦難を重ねてらっしゃるんでしょう。僕には想像がつきますよ。あなたは何も知らない、可愛《かわい》い奥さんだもの」

敏子は涙ぐんだ。隆之の急死後、誰もこんな優しい言葉をかけてはくれなかった。親戚《しんせき》も子供たちも、自分の悲しみを癒《いや》すのに夢中だったから。塚本がポケットからハンカチを出して、敏子に手渡した。

「泣かせちゃったな。すみません、奥さん。僕はねえ、悲しそうな女の人を見ると、放っておけないんですよ。女の人は、みんなにこにこ笑ってなくちゃ。女の人にはね、幸せになる権利があるんです。そのために、男は身を粉《こ》にして働いているんだから」

隆之はこんなことを一度でも言ってくれたことがあるだろうか。それればかりか、自分を裏切っていた。いや、おそらく伊藤昭子には歯の浮くようなことを言っていたのだ。五百万も融資したという話を思い出し、敏子は腹立たしくなってきた。

「私、可愛くなんかないですよ、塚本さん。私、怒ってもいるんです。心の中は黒いし、嫌なことも考えているんです」

塚本は愉快そうに、敏子の顔を見た。皺の畳まれた目許が可笑《おか》しくて堪《たま》らないという具合に笑っている。

「あなたは可愛いですよ」

塚本は、運転手に西口の高層ホテルの名を言って、道を指示した。

「このホテルのバーは四十階にあってね、夜景が綺麗なんです。夕焼けを見ながら、カクテルでも飲みましょう」

塚本はふと、敏子の固く握った拳に目を遣った。

「関口さん、何を握っているんですか」

敏子は仕方なく鎖の切れたネックレスを見せた。

「さっき、思わず千切ってしまったんです。変なことして、恥ずかしいです」

塚本はネックレスを手に取って眺めた。老眼の進んだ老人の仕種だったが、敏子には気にならなかった。塚本がこう続けたからだ。

「ああ、ラピスラズリですね。ブラウスにとてもよく似合っていたのに。僕は、今日駅であなたを見た時、何て可愛い人だろう、と思ったんですよ。関口さんは、素敵な奥さんがいたんだな、と羨ましくなりました」

これほどまでに言葉巧みに、温かく、異性に褒められたことはなかった。しかも、塚本は六十七歳には見えない。押し出しも立派だし、背も高く、外見も素晴らしく良い。敏子は我が身が怖《おそ》ろしくなってきた。自分がもてるはずはない、という頑固な思い込みが、塚本の好意を素直に受け入れることを拒んでいた。

「まさか。私なんか、ださいおばさんです。垢抜けないし、太っているし、センス悪いし」

塚本は笑っているだけで、何も言わなかった。タクシーが高層ホテルの車寄せに横付けされた。ドアボーイがドアを開けてくれたので、敏子は先に出た。塚本は運転手と冗談を言いながら、金を払っている。何もかもがスマートで、場慣れしている。敏子は、ホテルを見上げて、古びたバッグと靴が恥ずかしくなった。が、塚本は敏子の気後れになど気付かないらしく、白い歯が眩《まぶ》しい笑顔を向けた。

「バーに予約を入れて、夕陽の見える席を頼んでおきます。その前に、あなたにネックレスをプレゼントしましょう」

えっ、と驚く敏子を連れて、塚本は地下のアーケードに向かう下りのエレベーターに乗った。さっさと、アクセサリーを売る店に入って行く。さすがに元百貨店勤務だった。困っておろおろする敏子を尻目《しりめ》に、物怖《お》じしない目で商品を眺め、やがてスワロフスキーのネックレスをウィンドウ・ケースから取り出させた。

「この色はあなたに似合いますよ」

真っ青なクリスタル・ビーズが幾重にも重なったネックレスは高価そうだった。だが、敏子が女店員の冷たい手で留め金を留めて貰っている間、塚本は支払いを済ませてしまった。敏子が戸惑いつつも眺め入っている鏡を、塚本が後ろから覗き込んだ。

「ああ、思った通りだ。とても良く似合います。スワロフスキーのブルーは、綺麗ですね。水中に光が差し込んで揺れているみたいじゃないですか」

敏子は、塚本を振り返った。

「これ、本当によろしいんですか」

「いいですよ。今日の僕のお詫《わ》びです。プレゼントさせてください」

「ありがとうございます。喜んでいただきます」

ブルーの光るネックレスを付けた敏子の顔は、確かに、いつもより遥《はる》かに美しく輝いて見えた。

「じゃ、バーに行って軽く食事しましょう」

塚本が楽しそうに誘った。敏子の心も、先程乱れたことを忘れ、俄《にわか》に丸く弾んでくるのだった。塚本のすぐ後ろを歩きながら、敏子は何度もネックレスに手で触れてみた。男からの思いがけないプレゼントが、女をこんなにも幸せにする。きっと、こうして昭子も心を弾ませたのだ。敏子の思いはどうしても、そこに向かってしまう。

バーは、まだ空《す》いていた。塚本は慣れた身ごなしで、敏子のために椅子を引いた。真横に夕陽が見えるほどの高層階。出来たばかりの頃、友人たちと一度だけ、下の階の中華のランチを食べに来たことがあった。敏子は、自分はなぜ隆之と一緒に外出しなかったのだろうと考えている。

「何を考えているんですか」

塚本が白ワインを飲みながら聞いた。枝に付いたままの干し葡萄《ぶどう》が添えられたつまみのチーズは何種類もあり、その幾つかは、食べたこともない不思議な味がした。

「私はこんな素敵なところに連れて来て貰ったことはないなあ、と考えていました。どうして私たち夫婦は、一緒に出歩かなかったのだろうと。塚本さんのお宅は、よくご一緒にお出かけになるんでしょう」

声に羨望《せんぼう》が表れていなかっただろうか。敏子はひやひやした。だが、塚本は考える風に外を眺めた。長く西の空に留まっていた六月の太陽がやっと沈んでいくところだった。空がオレンジ色に染まって美しい。

塚本は、二杯目の白ワインを空けつつあるが、緊張した敏子は、塚本の薦めに従って、シャンパンをオレンジジュースで割ったカクテルをちびちび飲んでいた。それでも、顔が火照《ほて》っているのがわかった。

「それは退職後ですよ。僕は仕事柄、夜はほとんど午前様でした。接待ばかりでね。勤めている時は、僕も妻には何もしてやれませんでしたよ。一緒にゴルフに行ったりするようになったのは、本当に最近です。罪滅ぼしをさせられているのかなあ」

塚本は笑った。釣られて敏子も微笑んだ。隆之は、退職後は週に三、四日は午前中から外出して、夜まで戻らなかった。蕎麦打ち教室、碁会所、友人と会う、などと言い訳は毎回変わったが、「阿武隈」に入り浸っていたのだろう。敏子は大きく息を吐いた。塚本には何もかも打ち明けたいと思ったのに、実際は何も言えなかった。魅力的な異性の前で、自分が夫に長く裏切られていた、などとは口が裂けても言いたくない。だから、さっきから当たり障《さわ》りのない世間話を続けているのだ。

「関口さんはご自分をよくわかっていないんじゃないですかね。僕は、あなたは激しい人だと思いました」

突然、塚本がのんびりした口調で言った。

「そうでしょうか。私はあまり人前で意見を言えない人間です。おとなしい方だと思います」

敏子は、首を傾《かし》げた。退屈がられているのではないか。内心は不安だった。が、塚本は可笑しそうにネックレスを顎で示している。やっと塚本の真意に気付いた敏子は、笑いだした。

「そうでした。私、ネックレスの鎖を引き千切ったんですよね。あんなことしたことないのに。自分で信じられません」

ブルーのネックレスは、まるで最初から敏子の物だったように馴染んで、キャンドルの光を反射しているのが、窓ガラスに映っている。塚本が言いにくそうに切り出した。

「『阿武隈』の話はお嫌でしたらやめますが、よろしいですか。僕が関口さんから聞いたのは、『阿武隈』という店の蕎麦が一番美味《おい》しい、という賛辞でした。僕が、場所を聞いたら、練馬です、と言って少し慌てられた。きっと僕とばったり会うのを怖れたんでしょう。でも、僕は好奇心が旺盛だから、探して勝手に行ってしまった。本当にお節介しましたね。申し訳ありません」

塚本には、概《おおむ》ね見当は付いているらしい。

「いいえ、いいんです。私は今度のことで、つくづく思ったことがあるんです。何も知らないで死ぬのは嫌だって。主人が裏の生活を持っていたのなら、やはり知らなくては三十六年も付き合った意味がありません。主人がいずれ、あの人と一緒になりたいと願っていたのでしたら、それはそれで仕方がないです」

「でも、それを確かめる術《すべ》はないんですよ」

塚本が煙草に火を点けた。その通りだ、と敏子は頷いた。が、「でも、それが辛いのです」と叫びたい自分がいる。

「ご主人の愛人問題は、もう忘れて暮らすべきですね。赦《ゆる》して差し上げたらどうですか」

「もう過ぎたことだ、と何度も思いました。一昨日よりは昨日、昨日よりは今日。日々に遠くなっていくのがわかります。でも」

敏子は言葉を切った。塚本が顔を上げた。

「でも、何ですか」

「今日のようなことがあると、虚しくてどうしたらいいのかわからなくなってしまうんです。これまでの私の暮らしが根底から覆《くつがえ》された気がして、訳もなく腹立たしくなったり、泣きたくなったり、自分でもうまく感情が収められないのです。私はこういう経験は初めてでした。本当に世間知らずでした」

塚本は何も言わず目を伏せた。陽が沈み切った街は、幹線道路を行く車のライトが目立ち、急に艶《つや》めいて見える。

「ご主人が亡くなっただけでもショックなんだから、そうですよね。時間がもっと必要なんでしょうな」

塚本は別のことを考えているのか、虚ろな眼差《まなざ》しをした。会話が途切れた。何を考えているのだろう。敏子は聞きたかったが我慢した。塚本が決心したように顔を上げた。

「例えば、僕があなたを素敵だと思って、あなたと付き合うことができたとして。仮定ですよ、勿論。そしたら、うちの女房は僕が死んだ後で悲しむんだろうね」

「私がネックレスを見せたりしたら、尚更《なおさら》」

話が意外な方向へ飛んだので、敏子は冗談めかした。昼間、塚本の胸に顔を寄せたことを思い出し、動悸《どうき》さえした。自分は塚本に好感を持っている。自分の悩みをとことん打ち明けたいと思った。だが、それは好きだということだろうか。塚本は六十七歳。外見は若々しいが、八歳も上だ。そして、一番の問題は、塚本には妻がいる、ということなのだ。昭子と同じことを自分ができるか。いや、できまい。誰もが悲しむ、とわかっていることなど到底できなかった。

それは野田とても同じだ。野田は、フリーターの子供が三人もいる、と言っていた。野田の妻はどんな人なのだろう。野田の借金を返すために、妻もまた、必死に働いているのかもしれない。不意に、カプセルホテルのフロントに立つ野田の疲れた表情が蘇《よみがえ》ったが、煌《きら》めく夜景を見下ろすバーにいて、俄に現実感が失われていく。あの経験は夢だったのではないか。それとも、こちらが夢か。ぼんやりと塚本の顔を眺める敏子に、塚本が慌てた風に取りなした。

「まあ、冗談ですから、気にしないでください」

冗談だったのか。敏子は自分が落胆しているのを感じた。心なしか、空気が少し重くなった。敏子はわざと明るく言った。

「塚本さんは奥様と仲がいいんでしょう。さっき、皆さんが仰っていたじゃないですか。私、羨ましいです」

塚本は微笑んだだけだった。会話が途切れ、気詰まりだった。タクシーの中で、塚本に摑まれた手の甲が熱を持っている気がする。塚本が痰《たん》の絡《から》んだ声で言った。

「お時間はまだ大丈夫ですか。良かったら、ご飯を一緒に食べませんか。隣にステーキハウスがあります」

敏子は迷って俯《うつむ》いた。塚本ともう少し一緒にいたいのは確かだが、食欲が全くない。

「折角ですが、私はお腹《なか》がいっぱいで何も入りそうにないんです」

そうか、そうですよね、と塚本は口の中で呟いた後、思い切った様子で言った。

「良かったら、部屋を取りますが、どうですか。お腹が空いたら、何かルームサービスで取ればいいし、ゆっくり二人で話しませんか。勿論、ご主人が亡くなられて日が浅いのですから、断られても構いません」

敏子は体を硬くした。誘いを予想していたか、といえばしていた。しかし、意外でもあった。よりによって、四人の中で一番素敵な塚本が自分を誘ってくれるとは。小久保だったら、自分を誘ってくれることも有り得そうだった。小久保はふざけてばかりいるが、孤独そうで、どこか切実なものを漂わせていたから。が、塚本は、人生に対する充実感に満ちている男だ。なぜ、自分が。

「嬉しいですが、私のどこがいいのか、さっぱりわかりません」

塚本は不安そうな面持ちになった。

「僕がお爺《じい》さんだから嫌ですか」

「そんな」敏子は思わず笑った。「私だって、若い人から見たらお婆《ばあ》さんです」

「お婆さんじゃないですよ。あなたはまだ五十代でしょう」

「来年、六十ですよ」

「まだ若い。僕は六十七なんだから」

彰之も美保も、この押し問答を聞いたら、きっと笑うだろう。あるいは嫌悪《けんお》感《かん》を持つかもしれない。しかし、歳を取るということは、こういうことなのだ。好きに生きようとすれば、世間の常識から、どんどん遊離していく。その寂しさを乗り越えねばならないのだろうか。黙っている敏子に、塚本がなおも言った。

「いいじゃないですか。僕はあなたをもっと知りたいんです」

「奥様に申し訳ないです」

塚本はしばらく沈黙していたが、決然と顔を上げた。

「女房は、もう僕の相手をしてくれません。僕は歳を取ってはいますが、男なんですよ。あなたはご主人とどうでしたか」

隆之が性交渉を望んだ時、自分も相手をしなかった。あれはいつのことだったか。遥か昔。だから、隆之は昭子の元に行ったのだろうか。怒りが悔いに変わってきた。取り返しのつかないことをしたのか。敏子は唇を噛《か》んだ。

「男と女は難しいのです。正直に言えば、僕も関口さんと似たようなことをしたことがあります。逆説的ですが、それは結婚生活を続けるためでもあったのかもしれません。相手の女の人には失礼なことをした、と後悔もあります。こうして何度も捻《ねじ》れながら続くのが、結婚生活だとしたら、男と女は不思議です」

では、塚本は結婚生活を続けるためだけに、自分と付き合うのか。敏子は首を傾げる。

「わかっています。あなたは、僕の誘いが僕らの結婚生活を維持するためだけにあるのか、と言いたいのでしょう。でも、違います。僕は女房と添い遂げたいと思っていますが、どうなるかわからない、という思いもある。若い頃、僕はもっと狡《ずる》かった。女房を騙《だま》し、相手の女の人も騙しました。自分のことしか考えていなかった。でも、今は違う。この先はどうなるかわからないから、今を精一杯生きたい。死がすぐそこに迫っているからこそ、僕はあなたを知りたいのです。それが歳を取ることです」

塚本は必死だった。

「僕を知りたくないですか」

「知りたいです」

敏子はあっさりと承諾した。知るだけなら、野田も小久保も、今井も辻も、同様だった。道を道とも気付かず、ぼんやり生きてきた自分を捨て去りたい。道があったのなら、大きく踏み外してみたい。その衝動は、自分でも思いがけなく強かった。

「ありがとう」塚本は青年のように弾んで席を立った。「すみません、ここで待っていていただけますか。部屋を取って来ます」

敏子は塚本の素早さに唖然とした。物慣れているとも感じたが、塚本を止めようとは思わなかった。遂《つい》に、人生の第二ステージが幕を開けた、と思った。壊れるのか、それとも新しい何かが生まれるのか、見当が付かない。だが、真面目一方だと思っていた隆之は、嫉妬《しっと》と混乱を自分に残して死んでしまったではないか。これからは好きに生きよう。問題が生じたら、その時に考えればいい。なるようになるのだ。敏子は目を閉じた。酔いが回って心地好かった。

「お待たせしました」

肩に分厚い手が置かれた。ゴルフ灼けした男の手。男は、世間では老人の部類に入る。しかし、今夜は自分を新しい世界に連れて行ってくれるのかもしれない。敏子は微笑んで塚本を見上げた。

一時間後、敏子は塚本と手を繋《つな》いでベッドに横たわっていた。塚本は軽く鼾《いびき》を掻いて眠っていた。敏子は薄明かりの中、部屋のあちこちを眺めながら考えている。何もかもが初めての経験だった。初対面の、それも夫以外の人間と性交渉を持ったこと。不倫をしたこと。身じろぎをした塚本が、腕を伸ばして敏子の髪を撫《な》でた。

「何だ、起きてるの」

「興奮してるみたい。とても、変な気持ちだわ」

「後悔してるんじゃないの」

「してないです」

実際、してはいない。塚本の妻に申し訳ないと思う一方、塚本にしか、今の自分を慰められなかったとする気持ちもあって、このふたつが葛藤《かっとう》していた。この複雑さ。これが新しい世界なのか。敏子はまだ部屋を見回している。

「これからも、ひと月に一回は会いたいね」

塚本の誘いに戸惑っている。恒常的な関係が必要なのかどうか。本当に、自分は塚本が好きなのか、それもわからなかった。

「あなたの携帯電話の番号、教えてくれる？」

「持ってないんです」

「じゃ、持ってください。僕のために」

敏子は、自分の携帯電話を買おうとだけ思った。

ホテルに宿泊はせず、敏子と塚本は早めに帰宅した。塚本が飲まなければならない高血圧の薬を家に置いてきた、と言ったからだ。それが口実だとしても、一向に構わないと敏子は思った。相手の家庭に小波《さざなみ》を立てる気は毛頭ない。また、歳の割には身綺麗で魅力的な塚本を独占したいと思う執着もまだなかった。

しかも、隆之の不倫に傷付けられ、どこにも持って行き場のなかった虚しさが、塚本との一夜の関係で雲散霧消したかといえば、逆だった。自分の知らなかった世界を経験して得たものは、また新たな虚しさなのだった。だが、虚しいからといって、手放してしまうのは寂しい気がするのだから、始末に悪い。

敏子は、真っ暗な自宅の照明を点けて回りながら、自分はどうしたいのだろう、とそればかり考えている。留守番電話のランプが点滅しているのに気付き、敏子はスイッチを押した。

「栄子です。久しぶりね。あたし、ちょっと困ったことが起きたので、話したいなあと思って電話しました。また電話します」

もう一件入っている。またも栄子だった。

「敏ちゃん、何度もごめんね。あなた、どこに行ったの。また家出したんじゃないわよね。ちょっと心配。帰って来たら、何時でもいいから電話くれる？」

いつも元気な栄子にしては、声が沈んでいる。敏子は、あの日、友人たちの前で感情を爆発させて以来、気恥ずかしくて自分から連絡ができなかった。そろそろ電話すべきだと思っていた矢先だったので、すぐに栄子に電話を入れた。

「ああ、敏ちゃん。元気だった？」

栄子は縋《すが》るように言った。

「うん。こないだはご免ね。私が悪かったわ」

「いいわよ。こっちも少し煽《あお》り過ぎたんじゃないかって皆で反省してたの。和世ちゃんなんか、あなたのことすごく心配してたわよ。一人で自殺なんかしないかしらって。だけど、またキレられると困るしね」

あの状態をキレると言うのか。自分には縁のない言葉だと思っていた敏子は、可笑しくなった。

「すみませんでした。あれから、私もいろいろあってね」

塚本とのことを自慢したい気もないではない。

「何があったの」

間髪《かんぱつ》を入れずに、好奇心旺盛な栄子は尋ねる。

「電話じゃ言えないわ」

「勿体《もったい》ぶってるわね。ああ、聞きたいわ」

栄子は苛立った声を上げた。

「ところで、栄ちゃんはどうしたのよ」

敏子が話を変えると、栄子は苦しげに呻《うめ》いた。

「あたしね、今日付けでホセ様のファンクラブを除名になっちゃったのよ」

敏子は絶句した。ホセ・カレーラスの追っかけファンが集う会は、活動も華々しく、栄子の熱心さも半端《はんぱ》ではなかったはずだ。

「あなた、理事じゃなかったっけ」

「そうよ。五人の理事のうちの一人よ。五奉行と言われていたの」栄子は自慢げに言った。「副会長も二期やったしね」

「何があったの」

「明日、お昼買って行くから、あなたの家に遊びに行っていい？」

「じゃ、外で会わない」

明日は、宮里を見舞ってから、野田に会いに行くつもりだった。時々見舞う、と言っておきながら、一度も病院に行っていないので申し訳ない気持ちが強い。

敏子は、吉祥寺で栄子と会う約束をして電話を切った。受話器を置いた途端、また電話が鳴った。おそらく、栄子が何かを言い忘れたのだろう。敏子は笑いながら電話を取った。

「もしもし、関口さんですか」塚本の声だった。声を潜めている。「今日は送ってあげられなくて申し訳ありませんでした」

敏子は、郊外の自宅までタクシーで送って貰うのは悪いと思い、一人、電車で帰宅したのだ。塚本はそのことを気に病んでいたと見える。

「いいんです、気になさらないでください」

「今一人なんでしょう。寂しくないですか」

塚本は心配そうに聞いた。携帯電話からららしいが、背後からは、微《かす》かにテレビの音や家族の話し声が聞こえる。塚本は娘夫婦と一緒に暮らしているのだ。小学生の孫娘が二人いる、と言っていたから、さぞ賑《にぎ》やかで楽しい家庭なのだろう。そんな塚本から見たら、夫が死んで空っぽの家に一人帰る敏子がさぞかし惨《みじ》めに思えたに違いない。敏子は狭い自分の家を眺め回した。みすぼらしいものの、ここは間違いなく自分の居城なのだった。

「大丈夫です。もう慣れましたから」

「それなら、良かった。また時々電話してもいいですか。あなたと会えて良かったと思います」

敏子の胸に温かいものが溢《あふ》れた。敏子は外してキッチンのテーブルの上に置いたネックレスを見遣った。「水中に光が差し込んで揺れているみたい」。塚本の言葉を思い出した敏子は、嬉しくなって、柔らかな笑みを浮かべた。

第七章　皆の本音

翌日は、朝から快晴だった。入梅前の最後の好天、と天気予報が告げている。隆之が生きていたなら、布団《ふとん》干しや洗濯物のことなどを真っ先に考えたに違いない。だが、澄み切った空を見上げる敏子の気持ちはひたすら急《せ》くのだった。何かしら思い切ったことをしてみたくなる、今のうちに。

敏子は洋服ダンスを引っ掻《か》き回して、淡いブルーの半袖《はんそで》セーターと白いスカートを選んだ。数年前に買った服だが、塚本に貰《もら》ったネックレスが引き立つ服は他に持っていないので仕方がなかった。しかし、V字に開いたセーターの襟元に、ネックレスはぴたりと納まった。敏子は満足して、いつもより濃く紅を引いた。美しく、艶めかしくさえ見える自分。それは、誰にも言えない秘密を持ったせいではなかろうか。五十九年生きてきて、初めて味わう後ろめたさ。塚本の妻、息子や娘、友人たち、そして自分、すべてに後ろめたかった。本当に楽しいことは、実は後ろめたさの中に潜んでいるのかもしれない。

敏子は仏壇の写真を眺めた。隆之もそうだったのだろう。写真の隆之は屈託なく笑っている。敏子は、隆之に話しかけた。

「あなたの人生はさぞかし楽しかったんでしょうね。秘密を沢山持ってたんだから」

厭味《いやみ》ではなかった。塚本が誘ってくれなかったら、今日の自分はどうしていただろう、と思う。誰も信じられなくなって、恨みを募らせていたか。それとも泣き崩れていたか。でも、もういい、忘れてしまおう。天気も好《い》いことだし。敏子は肩を竦《すく》め、仏壇の上にある隆之の携帯電話をバッグに突っ込んだ。嫌な思い出ごと、処分するつもりだった。

敏子は、吉祥寺までバスで行き、携帯ショップに入った。窓口で、亡《な》くなった夫の電話を解約したい、と告げ、死亡証明書、戸籍謄本《とうほん》、自分の健康保険証などを提示した。若い女性が、愛想良く言った。

「お客様の名義に変えて、そのままお使いいただくこともできますけれど、どうなさいますか」

敏子は、夫の携帯を持つ自分を想像した。嫌だった。隆之がこの電話で昭子と話していたのかと思うと、虫酸《むしず》が走る。それに、電話を貰った方も、死んだ隆之の番号からかかってきたら、仰天するだろう。敏子は即座に断った。

「私は自分のを買いますから、これは処分してください」

敏子は、まずは自分用のシンプルな携帯電話を購入した。

「ご主人様の携帯に入っているデータはどうなさいますか」と、女店員に聞かれ、敏子は聞き返した。よく意味がわからない。

「データって何ですか」

「電話帳などです。電話帳は一度消えたらおしまいですから、メモリーカードで保存しておくこともできますし、そのカードからお客様の電話に移すことも可能です」

「私の電話に移すこともできるんですか」

女店員はにこにこ笑い、店の隅に置いてある機械を手で示した。

「はい。でも、お客様には、ご自分でやっていただくようにお願いしております」

敏子は、新品の自分の携帯に、隆之の知人たちの名や番号を入れたくはなかった。特に伊藤昭子。それにしても、いつの間にか世間の動きから遠く外れてしまっていた。ちっともわからない。そのことに敏子は軽い衝撃を受けた。立ち竦んでいる敏子を見て、女店員は、操作が面倒で二の足を踏んでいると勘違いしたらしい。

「ご面倒でしたら、私がやりますが」

待っている客が背後に列を成していた。敏子は、このままデータなど保存せずに、綺麗《きれい》さっぱり解約してしまいたいのだが、女店員は何度も勧めるのだった。

「データだけは保存された方がいいと思います」

後で文句を言われたくないのかもしれない。敏子は承知した。

「わかりました。でも、私は操作がわからないので、あなたが入れてくださいますか」

微《かす》かな敗北感がある。が、女店員は、無論そんなことには気付かず、ほっとした様子で手早く操作を始めた。

携帯ショップを後にした敏子は、往来で早速、美保の名を検索して、電話をかけてみた。

「誰からかと思ったら、お母さんか。知らない番号だったから、出るのやめようかと思った」

美保は起き抜けだったらしく、不機嫌だった。

「今ね、お母さんの携帯からかけているのよ」

「え、やるじゃん。お母さん、自分の携帯を買ったの。番号、登録しておくわね」

敏子の積極さに、美保は驚いたらしい。

「今、買ったばかりなのよ。お父さんの携帯を解約して、私の電話にデータを入れて貰ったの。まずは、あなたに電話しようと思ったら入ってるから、意外に便利だわね」

本音だった。つまらない意地を張らなくて良かったと思う。不要なものは後で消せばいいのだから。ひとつ賢くなった気のする敏子に、美保は不思議そうに尋ねた。

「お母さん、どういう風の吹き回しなの。あれだけ、携帯なんてあたしには必要ないって、頑固に言い張ってたのに」

確かに、以前の自分は頑固な人間だった。頑迷と言ってもいい。自分に必要ないと思い込んだら、興味も持たないし、理解しようともしなかった。それも何の根拠もなく。なのに、今は自分だけの携帯を手に入れて、軽薄にも浮かれているのだった。

「一人暮らしだから必要かな、と思ったのよ」

敏子は言い訳した。

「そりゃ、あたしは持ってくれた方が安心だけど。でも、急に積極的になったみたいで変ね」

何があったの、と聞かれそうだ。敏子は、美保の勘の良さに辟易《へきえき》し、話を変えた。

「彰之はどうしてるのかしら」

「ああ、こないだ電話あったよ。兄貴、大型の免許取ってる最中で忙しいらしい。由佳里さんの実家って、運送業でしょう。トラックの運転もしなきゃならないんだって」

「へえ、そうなの。じゃ、あなたから彰之にあたしの番号を伝えてくれる？」

「いいわよ。ついでに電話するように言っておこうか」

「そんなのいいわよ。用がありゃ、向こうからするでしょう」

敏子は腹立たしかった。出て行ったきり、自分には一度も連絡をしないで、妹には近況を話しているのが気に入らない。しかも、妹が要請しない限り、自分には電話を寄越そうともしない息子だなんて。あんな恩知らずな息子は捨ててしまいたい、隆之の携帯電話のように。でも、息子を捨てる訳にはいかないのだった。

突然、敏子は、彰之は何を狙《ねら》っているのだろうか、と怖《おそ》ろしくなった。実の子供を怖がるなんて、自分でも信じられないが、この先、何が起きるかわからなかった。相続はまだ終わっていないのだから、こじれた場合も想定しなくてはならない。それに、隆之が「阿武隈《あぶくま》」に五百万融資した、という話もある。そのことは子供たちには黙っているべきだろう。でも、誰かに相談したい。塚本に電話しようか。塚本の番号は、隆之の携帯電話に登録されているはずだ。敏子は、データを消さなくて良かった、と改めて安堵《あんど》した。

隆之の携帯には、やはり塚本の番号が入っていた。敏子はどきどきしながら塚本の携帯番号に電話をしてみた。

「ただいま電話に出られません。二十秒以内で用件を吹き込んでください」

自動メッセージが流れた。敏子は戸惑いながら吹き込んだ。

「関口でございます。昨日は大変お世話になりまして、ありがとうございました。あのう、あたくし、今日電話を購入しましたので、番号をお知らせしたくてお電話」

気取って喋《しゃべ》ったのに、途中で無様に途切れてしまった。何ともばつが悪い。しかも、送信してしまった記録は消せない。敏子は気恥ずかしさを隠すために、近くの文房具店に入った。絵葉書でも買おうと思ったのだが、手帳売り場を見て、新しい手帳を買う気になった。今まで自分が使っていたのは、和紙が表紙のメモ帳のようなものだったから、予定を書き入れることのできる手帳をかねがね欲しいと思っていたのだ。携帯、手帳。ささやかながらも自分だけの小物を手に入れることで、新しい自分が現出《い》でてくる気がする。

敏子は、緑の革表紙の小さな手帳を買い、そっとバッグのポケットに入れた。何を書き留めようかと楽しくなる。満足して時計を見ると、約束の十二時を過ぎていた。

敏子は、栄子の携帯に電話した。

「栄ちゃん、ごめん。あたし、少し遅れるわ」

遅刻の詫《わ》びだというのに、携帯を使っていることが何となく晴れがましい。我ながら子供っぽいと苦笑した。が、栄子は敏子が携帯からかけていることなど気付かない様子で、大丈夫だからのんびり来て、と鷹揚《おうよう》に答えた。気付かれないことがつまらなくもある。

敏子は、待ち合わせ場所のイタリアン・レストランに五、六分遅れて入った。奥の四人掛けの席から和世と美奈子、栄子らが手を振った。栄子だけかと思っていた敏子は驚いた。

「お邪魔様。栄ちゃんがあなたに会うって言うから、ついて来ちゃった」

美奈子が、さっぱりと短くした髪型で照れ笑いした。白いポロシャツに、白いパイピングのある紺のスカート。相変わらずスポーティな格好だ。隣の和世は、黒地に細かい花柄の散ったワンピースを着ている。栄子は、暗い表情で煙草《たばこ》を吸っていた。黄色のどっしりした麻のワンピースに黄緑のスカーフ、重そうなゴールドのネックレス、イヤリング、腕輪と満艦飾《まんかんしょく》の装《よそお》いだ。栄子が敏子をちらりと見て、驚いた顔をした。

「敏ちゃん、変わった。どうしたの」

「え、何もないわよ」

敏子はとぼけたが、今朝、鏡を見て我ながら印象が違うと思ったのは本当だったのか、と満更でもない。

「ほんと、綺麗になった」

美奈子と和世がほぼ同時に言ったので、悪い気はしない。

「素敵なネックレスね。似合うわよ。それ、スワロフスキーじゃない」

目利きの和世が、敏子の襟元を指さした。

「どこで買ったの」

栄子が厳しく追及する。

「ホテルのアーケード」

「どこのホテル」

栄子がしつこく問うた。デパートと答えれば良かったと敏子は後悔したが、すでに遅い。

「前に買ったの。どこだったか忘れちゃったわ」

「でも、それ今年の新作よ。人気が高くてなかなか手に入らないって聞いた」

和世までが口を出すので、敏子は困惑した。

「誰かに貰ったんでしょう」

栄子の発言に仕方なく頷《うなず》くと、栄子は間髪を入れず聞いた。

「誰に貰ったの」

「まるで尋問みたいね」敏子は苦笑したが、誇らしげに言いたい気持ちもないではない。「知り合いよ」

「知り合い程度の人がくれるかしら。怪しいなあ」

栄子が呟《つぶや》いた。何かあったらしい、という視線を三人が交わすのを感じたが、敏子はそれ以上何も言わず、まずは三人に謝った。

「この間はごめんね。私、キレちゃって。自分でも何を言ってるのかわからなくなっちゃったのよ。恥ずかしくて電話もできなかった」

「いいのよ、いいのよ」美奈子が両手を挙げた。「あたしたちも言い過ぎたと思って、気にしてたのよ。あの後、彰之ちゃんと何か話した？」

「遺産は全部、私が今後の人生のために遣わせて貰う、と宣言したわ」

美奈子がいきなり拍手したので、店の客が何事かとこちらを見た。

「それがいいわよ。あなたはまだ生きなきゃならないんだし、若い人たちは自分で財産作ればいいと思う」

それを口にするのは簡単だが、敏子はこれからの彰之との戦いを想像してうんざりするところもある。実の子供と、僅《わず》かな財産を争うことになるなんて、考えたこともなかった。

白ワインを一本頼み、サラダとパスタのランチセットを注文した。敏子は「森の小径《こみち》」と名付けられた茸《きのこ》のパスタにした。「引き潮の贈り物」という名のシーフード・パスタを頼んだ美奈子と和世は、何度もその名を繰り返しては笑い転げている。敏子は、グラスに注がれた白ワインを見つめた。塚本が飲んでいたのは、自分の知らない銘柄のワインだった。スワロフスキーというクリスタルガラスのブランド名も知らなかったし、ワインの種類も産地についても知識がない。何も知らずに、家庭という安全な場所で暮らしていたのかと思うと、人生を半分損したような気になってくる。

「ねえねえ、皆さん。今日はあたしの話を聞いてくれるんじゃありませんでしたか」

栄子が馬鹿《ばか》丁寧に言った。不機嫌な証拠だった。和世が、やや緊張した風に顔を上げた。物静かな和世は、強引な栄子が苦手と見える。もともとは、美奈子と敏子が同級で仲が良く、そこに美奈子と同じテニス部に属していた和世が加わった。クラスもクラブも違う栄子は、全員が結婚してからの同窓会で再会し、どういう訳か親しく付き合うようになったのだった。栄子の夫が亡くなった時、四人の仲が一層深まった感がある。当時の栄子はもっと気弱で、世間知らずの奥様の印象があった。栄子が猛々《たけだけ》しく変わったのは、優しい夫が亡くなってからだ、と美奈子が言っていたことがある。

「あなた、『ファンの集い』を除名になったんでしょう。それって、どういうことなの」

美奈子が落ち着いて尋ねた。マイペースで物事に動じない美奈子は、とかく場を仕切る役に回ることが多い。

「頭に来るのよ。突然だったの」栄子は悔しそうに言った。「昨日の朝、会長さんから電話があって、あなたがた、理事さんたちの態度にいろいろ問題があると会員から指摘された、申し訳ないが、理事さんたちは勇退ということで今期で辞めて貰えないか、体制を一新したい、と言われたのよ」

美奈子が、運ばれて来たパスタの皿をまず一瞥《いちべつ》してから、口を挟んだ。

「ちょっと待って。会長さんて、男の人じゃなかった」

「そうなの。元レコード会社に勤めていた人で、六十五歳くらいかな。もうずっと、その人の天下で、あたしたちは何も言えないのよ」

栄子は自分の皿が来ても、ぐいぐいとワインを呷《あお》るばかりで、フォークを取ろうともしない。

「栄ちゃん、勇退なの。昨日の電話じゃ『除名』って言ってなかった？」

和世が遠慮がちに聞いた。右手の中指にしたトルコ石の指輪の銀の細工が美しかった。

「実はそうなのよ。ねえ、ひどいと思わない？」

とうとう栄子の目から涙がこぼれて、顎《あご》を伝った。栄子が紙ナプキンで涙を拭《ぬぐ》った。マスカラが落ちて、紙ナプキンを黒く染める。

「それもあたしだけなのよ。他の人は『集い』に残るの。会長さんが言うには、あたしが不正をしたって」

「お金のこと？」

美奈子がはっとしたように、パスタを巻く手を止めた。栄子は激しく頭を振る。

「まさか。チケットを配る際に、あたしが自分の分だけ、いつも一列目の真ん中を取って、ゴールデンシャワーを浴びているとか、スペイン公演の時に、禁じられている自宅訪問をしてビデオを回してきたとか、そういうことよ。一応、うちの会では、会員相互で禁じてるの」

「ゴールデンシャワー？」

ほぼ全員が同時に聞き返した。

「ホセ様の唾《つば》よ。皆が浴びたがるの」

美奈子が吹きだした。敏子は笑うのは悪いと思ったので堪《こら》えていた。和世も同じ思いらしく、二人は笑わないようにして、視線を合わせた。

「で、栄ちゃんは禁止事項を破ったのね」

美奈子は断じた。おそらく、この場にいる三人は同じことを思ったはずだった。栄子なら、他人を出し抜いてもやるだろう、と。案の定、栄子は言い切った。

「悪い？ だって、そのために『集い』に入っているんだもん。会に入らなかったら、いい席も取れないいし、情報交換もできないじゃない」

「だって、栄ちゃんは理事なんでしょう。立場を利用していることにならない？」

敏子が言うと、栄子はむっとして敏子を睨《にら》み付けた。

「あたしはやるだけのことはやってるわよ」

敏子は小さな声で反論した。

「だからって、言い訳にはならないと思うけど」

栄子はムキになり、甲高い声で怒鳴った。

「言い訳になんかしてないわよ。あなたはそう言うけど、あたしは身銭を切ってビデオを集めて、貸し出しもしてあげてるし、凄《すご》く親切な理事だと思うよ。何もしない人だっているんだから。現に会長さんなんか、何もしないのに名誉職で居座っているだけなのよ。そのくらいの見返りがあったっていいと思うわよ」

何事か、と再び店中の客がこちらを見た。和世が、宥《なだ》めるように敏子の腕を押さえた。どうやら栄子は、おとなしいはずの敏子に言われたので腹を立てたらしい。美奈子が言ったのなら、こんな風に激昂《げっこう》しないだろう、と敏子は思った。栄子は自分を舐《な》めているのだろうか。

「わかった、わかった。余計なことを言ってごめんね」

敏子は一応謝ったが、栄子はむくれてそっぽを向いている。

「やれやれ、今度は栄ちゃんがキレたか」

美奈子が冗談めかして言ったが、栄子の機嫌は直りそうもない。またしても、栄子は声を張り上げた。

「ともかく、屈辱なのよ。除名なんて、あたしがとっても悪いことしてるみたいじゃない」

「聞いていると、たいしたことじゃないわよね」

「ね、そう思うでしょう」

栄子が調子に乗って、美奈子の言葉に飛びついた。美奈子が冷静に聞いた。

「で、他の理事の人も同じようなことしてるの」

途端に、栄子の歯切れが悪くなった。

「そうでもないいんじゃない」

「てことは、その人たちも勇退ってことは、あなたの違反行為を一緒に被《かぶ》ったことになるじゃない」

「さあ」と、栄子は首を捻《ひね》った。

「だったら、会長さんはあなたを目立たせないために全員の首を切ったことになるわよね。会長さんの温情と言ってもいいんじゃない」

栄子は黙った。和世が冷静に言った。

「栄ちゃん、食べたら。冷めちゃうわよ」

「これはもともと冷めてるの」

栄子は面倒臭そうに言った。栄子の頼んだパスタは、「木蔭《こかげ》の涼風」と題した冷たいカッペリーニだった。和世が珍しく顔を紅潮させた。

「そんな言い方することないいんじゃないかな」

「あら、すみませんね」

栄子は悪びれずにフォークを手にした。さっきまで泣いていた癖に、段々ふて腐れてきている。幼児みたいだ、と敏子は思った。しかし、栄子は「ファンの集い」の仕事に打ち込んでいたから、生き甲斐《がい》を失うも同然の出来事なのだ。これからどうするのだろう、と敏子は気の毒になる。一方、和世は硬い顔で俯《うつむ》いていた。機嫌を損ねたらしい。

「あたし、前から思っていたことだからはっきり言うわね。あなたは少し身勝手だと思うわ」

いきなり和世が言ったので、敏子は驚いて和世の顔を見た。優しい和世は、滅多に他人を非難したり、悪口を言わない。

「じゃ、あなたはあたしがこういう目に遭っても当然だって仰《おつしや》る訳ね。さようですか」

栄子の口調がまた馬鹿丁寧に戻った。どうも、栄子と和世はソリが合わないらしい。

和世は水をひと口飲んでから、静かな声で言った。

「当然だなんて思ってないわよ。気の毒だわ。ほんとよ。でも、集団で何かするってことは、かなり気を付けなくちゃいけないんじゃない。その文句を言った会員の人はどんな人なのかしら」

「あなたみたいな人じゃないかしら」

栄子が澄まして答える。口調を真似《まね》たことからも悪意が感じられた。栄子はパスタを食べるのを途中で止め、ワインを一気に干した。美奈子が栄子の手を押さえた。

「栄ちゃん、今日は変だよ」

「そりゃ変になるわよ。慰めてくれるかと思ったら、皆に責められて頭に来る。何よ、あたし和ちゃんみたいな不倫している人にそんなこと言われたくないよ」

不倫という言葉が、栄子の口を衝《つ》いて出た途端、敏子は、はっとして和世の顔を見た。和世は目を伏せ、溜息《ためいき》を吐《つ》いた。うんざりした様子だ。

「やめなさいよ、もう」

美奈子が厳しい声で止めた。栄子はさすがに言い過ぎたと思ったのか、下を向いた。気まずかった。だが、敏子は和世の美しい細い顔を眺めた。何十年も友達のつもりだったが、何も知らなかった。和世は右手のトルコ石の指輪をいじくっている。美奈子が強い調子で促した。

「栄ちゃん、謝りなさいよ」

「ごめんね。お詫びにここを奢《おご》るからさ」

栄子は急にしょんぼりした。最初は楽しかったのに、散々な昼食会になったものだ。妙な名の付いたパスタの味もわからない。

「どうして栄ちゃんが知ってるの。ねえ、どうして知ってるのか、教えてよ。言う義務があるんじゃない」

やっと顔を上げた和世が栄子を問い詰めた。目が据わっている。これがこの人の本当の姿なのだろうか。自分は何も知らなかった。敏子は怖ろしい思いで長年の友の顔を見つめていた。

「もういいじゃない。今度にしたら」

美奈子が一生懸命取りなしたが、和世は頭を振り続けた。

「あたしにとっては真剣な問題なんだから、あなたがどこで知ったのか、言うべきだわ。友達でしょう。違うの」

「死んだ主人の友達からよ」

「その人とあなたの関係は」

「ごめん。当てずっぽうに言った。まさか当たると思わなかったから。すみません」

栄子は頭を下げた。一気にワインの酔いが回ったらしく、顔が赤らんでいる。和世が食後のコーヒーに砂糖を入れながら言った。

「いつか話す時がくると思っていたけど、案外早かったわね。あたし、五年前から好きな人がいるの。その人は、アクセサリーなんかを作っている人なのよ。その人が作った物は、あたしのお店で売ってるの」和世は指輪に目を遣《や》った。「私より十歳も年下だし、奥様もいらっしゃる。この先、どうしたらいいのかわからないのよね。あたし、この歳《とし》になって、恋愛に悩むなんて思ってもいなかったわ」

和世はそれだけ言うと、黙ってしまった。敏子は、意外には思わなかった。和世が、皆と一緒にいても、一人だけ違う世界に住んでいるように感じさせるのはどうしてだろうと常々不思議に思っていたのだ。年下の夫とも仲がいいと聞いていただけに、不倫という言葉は衝撃ではあったが、合点はいくのだった。和世はスタイルも良く、美しい。ぼんやりと空を見ていたりすると少女のように見えて、とても五十九歳の女には思えないこともある。今井もすぐに目を付けたではないか。塚本も、和世を見たら誘うかもしれない。塚本を思い出した敏子は、密《ひそ》かに頬を赤らめた。たった一回の情事だけで、自分が道を外した、などと昂奮したことが恥ずかしくなった。

「今はいいわよ。今度、お酒でも飲みに行った時にゆっくり聞かせてよ」

美奈子が優しく言った。

「そうね。それにしても、あたしたちって、どうして最近いがみ合ってばっかりいるのかしらね」

和世が微笑んだ。栄子が照れ笑いして、煙草を取り出した。

「そういう年頃なんでしょう。もうじき還暦だしさ。若い人から見たら、老人と思うでしょうけど、案外気持ちは若いし、体力もある。中途半端《はんぱ》な時期なんだよね」

「あたしは六十歳になるの、とても嫌だわ」

「あたしも嫌だ。六十歳って、急に年寄りの感じがするじゃない」

美奈子と和世が話している。突然、電話が鳴った。栄子が敏子のバッグを指さした。

「あなたのじゃない。あたしの音じゃないもの」

「あたしも違う」

美奈子は慌《あわ》ててバッグを探り、赤い携帯を取り出して確認した。和世もバッグの中を見ている。驚いたことに、美奈子も和世もとうに携帯電話を持っていたらしい。持っていなかったのは、自分一人だったのか。自分の携帯電話が鳴っていることにやっと気付かされた敏子は、目を細めて着信を見た。塚本だ。嬉《うれ》しさに心が弾んだ。

「もしもし、関口さん。塚本です」

「あ、どうも」

声が上擦《うわず》った。三人が怪訝《けげん》そうな目で自分を見ているのが気になって、うまく喋ることができない。戸惑う敏子に対し、塚本は淀《よど》みなく話した。

「お電話ありがとう。僕、さっきまで図書館にいたので電話に出られなくてすみませんでした。でも、とても嬉しかったよ」

「こちらこそ。昨日はありがとうございました。ご馳走《ちそう》になった上に、あんな素晴らしい物までいただいて」

敏子は口を滑らせてしまってから、こっそり三人の様子を窺《うかが》った。聞き耳を立てているのがわかる。敏子は慌てて表へ出た。最初から出れば良かった、と思ったがすでに遅い。三人は、敏子にネックレスをプレゼントした人物を、あれこれ想像していることだろう。

「今、表に出ました。うるさくてごめんなさい。友人たちとランチを頂いていました」

「楽しそうですね。僕も行っていいですか」

何と答えようか迷った。すると、塚本は笑い声を上げた。

「冗談ですよ。女の人たちのお喋りの邪魔はしませんから」

つくづく自分が機転の利《き》かない野暮な女に感じられる。

「今日、携帯電話を買ったんですよ。主人の電話のデータをメモリーカードに入れて、それを移したので、勝手にお電話してしまいました」

塚本には覚え立ての知識を言いたかった。塚本は、ほう、と感心している。

「便利ですよね。僕もあなたの番号は登録しましたから、これでいつでも話せますね」

いつでも話せる、という言葉は嬉しかった。いつでも誰かと話したい。敏子の心が潤《うるお》ってくる。

「そうそう、今井さんから電話がかかってきて、来月の蕎麦《そば》歩きに関口さんをお誘いしましょう、と言ってましたよ。昨日、先に帰ったことを申し訳なく思っているのでしょう」

名店の蕎麦を食べ歩く会に誘われても、あまり嬉しくはなかった。塚本だけならいいが、蕎麦の追究しか頭にない今井や、無口な辻、図々《ずうずう》しい小久保などとも付き合わなくてはならない。それに蕎麦といえば、反射的に昭子を連想してしまう。だが、敏子の困惑に気付かないのか、塚本は甘く囁《ささや》くのだった。

「その後、二人でどこかに行きましょうよ。場所は考えておきますから。ひと月に一度は会ってくださいますか」

はい、と敏子は答えたものの、ひと月に一度、とはっきりと回数を決められることに躊躇《ためら》いがある。始まったばかりだというのに。

「良かった。じゃ、またご連絡しますから。どうぞ、お元気になさっててください」

塚本は嬉しそうに言って、電話を切った。慣れない手付きで携帯電話のボタンを操作した後、敏子は急に違和感を持った。その正体はまだ判然としない。しかし、心に微かな苛立《いらだ》ちがある。

レストランに戻ると、三人はコーヒーを飲んで敏子を待っていた。栄子が早速問い詰めた。

「敏ちゃん、誰から電話なの。何かいいことがあったんでしょう。第二の青春かしら」

「まさか。主人が死んで、まだ半年も経《た》ってないのに」

自分で答えて、自分ではっとする。もしや、昨夜のことは、隆之への復讐《ふくしゅう》ではなかったのか、と。死者への復讐など、自分も馬鹿なことをしたものだと思う。後悔の原因は、今の塚本との会話の中にもありそうだ。それは何だろう。きらきらと輝くような一日に思えたのに、たちまち気分は萎《な》えて、ネックレスまでもがずしりと重く、厭《いと》わしく思えてきた。敏子が浮かない顔になったのに気付いてか、他の二人は何も聞かない。なのに、栄子はしつこく問うた。

「ホテルのアーケードなんて普通は行かないじゃない。特に敏ちゃんは行きそうもない。ね、何で行ったの」

「それは」と、馬鹿正直に言い淀んでいる敏子に、和世が助け船を出した。

「そんなこと敏ちゃんのプライバシーでしょう。そういう尋ね方は失礼よ。敏ちゃんだって、嫌に決まってるわよ」

栄子が、むっとした表情をした。さっきまで恐縮していたのに、感情の変化が激しい。

「和世ちゃんて、いつもはおとなしいのに凄いこと言うのね。うちの『集い』にもそういう人沢山いるわ。決まって意地悪なの」

和世はもう怒らずに、黙って微笑んでいる。栄子は捨て台詞《ぜりふ》で気が済んだのか、大儀そうに立ち上がった。

「あたし、お先に失礼するわ。皆さん、どうぞごゆっくり」

栄子は慇懃《いんぎん》な仕種《しぐさ》で、財布から皺《しわ》だらけの万札を一枚出し、テーブルの上に置いた。栄子に奢られてなるかとばかりに、美奈子が慌てて老眼鏡をかけ、レシートを凝視した。

「一人二千三百円よ。栄ちゃん、細かいの出してよ。割り勘なんだから」

栄子は渋々千円札を出した。その表情は歪《ゆが》んでいる。それぞれ金を払い、四人は無言で店を出た。栄子は通りでタクシーを拾い、一人でさっさと乗り込んだ。

「皆さん、お先に」

栄子はあたかも最後の別れのように、仰々しくお辞儀した。残った三人は、タクシーを見送り、顔を見合った。

「呆《あき》れた」美奈子が呟いた。

「悪いけど、あの人、少し変になってきたんじゃないかしら」

和世の言葉にぎょっとして、敏子は思わず和世を見遣《みや》った。

「どういうこと」

「最近、おかしいのよ。さっき、あたしが不倫しているって、言ってたでしょう。栄ちゃん、今年から急に言い始めたのよ。勿論《もちろん》、嘘《うそ》よ。その度に否定していたけれども、面倒臭くなったので、この間から認めるようにしてみたの。例えば、近所の鮨屋《すしや》さんとか、主人の部下とかいろいろ相手を変えてね。今日と同じ反応だったわ」

「え、じゃ、あの話は嘘だったの」

敏子は落胆した。手の届かない人生の先輩に感じられた和世が、急に普通の友人に戻った気がしてつまらない。

「本当だったら、あんなところで喋らないわよ。でも、あたしもさすがに腹が立ったわ。栄ちゃんはしつこいんだもの」

美奈子が引き取った。

「一度、思い込むとずっと言うのよ。それも、いくら違うって言っても納得しないの」

「美奈ちゃんも、このこと勘付いてたの」

美奈子は、怒りを露《あら》わにした。

「うちはね、亡くなったおばあちゃんの保険金で改築したんでしょう、と言われているのよ。根も葉もないことをしつこいったらないのよ」

「今に、敏ちゃんもことあるごとに、言われるわよ。ご主人が亡くなって間もないのに、誰かと付き合っている、とか何とか。それもずっと。言い触らすんでもないのよ。付き合いはこの三人だけなんだから。ただ、相手の弱みを摑《つか》んだつもりで、憂《う》さを晴らすというか、自分の存在を主張するというか、手っ取り早く言うと、攻撃的になったのよね。もしかすると、アルツハイマーじゃないかしら。うちのおばあちゃんと症状がそっくりなのよ。おばあちゃんは最初、物忘れからだったわ。本人の自覚があるうちはメモを取っていたんだけど、段々ひどくなって、字もわからなくなったらしいの。やがて、一週間前に来た場所も、初めてだって言い張るようになって、ようやく周囲に知れたんだけどね。それで思い出したのは、おばあちゃんは物忘れがひどいって誰かに指摘されると、烈火のごとく怒って、すごく古いことを持ち出して相手を貶《けな》すのよ。あたしの場合は、嫁いですぐのお正月に作ったお雑煮に、自分の椀《わん》だけにお餅《もち》が一個しか入ってなかったとか、つまんないことを持ち出すのよ」

美奈子は苦笑した。アルツハイマーという意外な病名に敏子は絶句している。栄子だけが、同じ寡婦《かふ》として自分にいたく同情し、現実的な助言を沢山くれたではないか。敏子には到底、信じられなかった。

「アルツハイマーってね、人格が平板になるらしいのよ。あの人、もともと単純なところがあったけど、最近とみにひどくない。子供みたいに感じる。自分に都合の悪いことは、絶対他人に言わないし」

「言える」和世が同意した。「想像だけど、あの人、『ファンの集い』で、何かひどいことをしたんじゃないかしら。でなかったら、除名処分になんかならないでしょう」

「それを聞きたくて来たのに、あれじゃ言わないわね」美奈子は嘆息した。「でも、あたしたちも五十九歳なんだから、明日は我が身よね」

美奈子が肩を竦めた。テニスで陽灼《ひや》けした腕は乾燥し、表面に細かい縮緬皺《ちりめんじわ》が寄っている。若い頃には予想もできなかった旧友たちの変貌《へんぼう》。友人たちから見れば、自分も随分老《ふ》けただろう。だが、容貌だけでなく、気付かぬうちに人格が変わっていくのだとしたら、老いとは残酷なものだ。敏子は話しているうちに憂鬱《ゆううつ》になった。栄子の夫が胃ガンで亡くなった時のことを思い出す。

栄子の夫は、土地持ちで貸しビル業を営む栄子の父親が、我儘《わがまま》な一人娘の栄子に格好の男をあてがった、と噂《うわさ》されていた。無論、婿《むこ》養子である。栄子より三歳年下ではあったが、勤め人の次男で性格も温順、見栄《みば》えもまあまあの夫は、栄子に一度も声を荒らげたこともなければ、悪い噂もない理想的な連れ合いだった。もっとも、敏子は栄子の夫が亡くなった直後からの付き合いだから、生前の夫には会ったことがない。しかし、美奈子や、他の級友の話を総合すると、栄子には勿体《もったい》ない、出来た人物だったらしい。栄子は、そんな夫のことを「物足りないのよね」と友人たちに愚痴《ぐち》っていたようだが、自然と笑みが洩《も》れ出るような表情だったので、周囲は、そうは言っても夫婦仲は存外良いのだと承知していた。栄子は子供ができないことを気にしていたが、夫は栄子に拘《こだわ》るな、と常々優しく諭《さと》していたという。

栄子の父親の仕事を手伝っていた夫に癌《がん》が発見されたのは、四十五歳の時だった。

不思議なことに、それからの栄子は一層、我儘になったというのである。

「お見舞いに行ったら、栄ちゃんが血相を変えてご主人を責めている場面に遭遇したことがあるの。『あなたは、あたしに好きな男がいたのを知っていた癖に、お父さんの言いなりになってあたしと無理に結婚したでしょう。あなたは、あたしを不幸のどん底に陥《おとし》いれたのよ。あなたのせいで、あたしは心の底から好きだった男と別れ、あなたと結婚せざるを得なかった。あなたがあたしと結婚してほっとしたのは、うちのお父さんだけ。いいえ、あなたも喜んだでしょう。あなたはうちの財産が手に入るんだから。お父さんの欲とあなたの欲がぴったり合ったせいで、あたしは不幸になったのよ』。あたし、びっくりして立ち竦んでしまったわ。病気のご主人に何ということを言ってるんだろうと思って。でも、栄ちゃんは延々と愚痴ってるの。ご主人は横たわったまま、にこにこして聞いていたわ」

その話を美奈子から聞いた敏子は、自分の赤裸々な本音というか、恨み言を、どうしてそこまで瀕死《ひんし》の夫に話せるものなのか、と驚愕《きょうがく》したのだった。

しかし、美奈子の感想は少し違っていた。美奈子は、栄子はああして、寛容な夫の掌《てのひら》の上で甘えている、というのだ。美奈子が咳《せき》払いをひとつして、病室に入って行くと、美奈子の訪問にやっと気付いた栄子は、ちょうどいいとばかりに上気した顔を上げて美奈子に訴えた。

「この人、憎たらしいと思わない？　あたしがさっきから文句言ってるのに、にやにやしているだけで、ちっとも本気にしないの。悔しいわ」

美奈子が何と答えていいものか、逡巡《しゅんじゅん》していると、夫が病のために掠《かす》れた声でゆっくり呟いた。

「暖簾《のれん》に腕押し、糠《ぬか》に釘《くぎ》」

聞いていた美奈子はぷっと吹きだしたが、栄子一人は憤然として、静脈の浮き出た夫の腕を抓《つね》ったのだという。それでも夫は、おっとと、と腕をさすり、「そんなことをしては痛いだろう」と言うのみで、栄子を怒鳴りつけたりはしなかったそうだ。さらに栄子は美奈子の顔を見て、こう付け加えたのだとか。

「子供が出来ないのだって、この人のせいに決まっているのよ。この人は死んじゃうのに、この人のせいであたしはたった一人になっちゃう。悔しい、悔しい」

美奈子は聞くに堪えなくて、病室を出ようとしたが、行かないで、と栄子が引き留めたという。その時の栄子の顔は、地獄を見ているかのように蒼白《そうはく》で、見ず知らずの街で迷子になった子供が必死に親の姿を探しているような切迫感に満ちていたという。一方、夫の方は、病室の天井を見据えながら、何度振り払われても平気で、栄子の手を摑まえようと、左手でベッドの上をまさぐっていたのだそうだ。これは二人の愛の姿なのだ、と美奈子は思ったと言うが、数カ月後に夫が亡くなってからの栄子の変貌だけは、よく理解できなかったらしい。

「美奈ちゃん、栄ちゃんが変わったのはご主人が亡くなってからだって言わなかった？」

その話を思い出して敏子が問うと、タオルハンカチで汗を押さえていた美奈子が、そうそう、と言った。

「そうよ。あの人、前より猛々しくなったわ」

敏子が、美奈子を介して栄子と付き合うようになったのは、まさしく「猛々しくなった」頃だったから、栄子という人は、一見すると良家の奥様風で上品に見えるのに、実はさばけていて率直にものを言う強引な人だ、と意外に思ったのだった。

「猛々しいというか、図々しくなったわね。前は、自分は下品なことはできない、と格好つけているとこがあったのよ。でも、晒《さら》け出すようになった。それも不必要なくらい。特に、例の『ファンの集い』に入ってからは露骨になったわね。あたしが思うに、あの人は歯止めが利かなくなったんじゃないかしら。前は走り出しても歯止めがあったのよ。ご主人という名の、いいブレーキが」

敏子は、美奈子と和世と連れ立って街を歩きながら、栄子のことを考えていた。栄子が、亡くなる寸前の夫を言葉で責め続けていたのは、夫がこの世から先に消えてなくなることが理不尽でならなかったのだろう。その怒りは夫本人に向けられ、夫もそれを承知で受け止めていた。つまりは、夫は歯止めというよりも、栄子の心を受け止める深い皿のような役割を果たしていたのだ。受け皿を永遠になくしてしまった栄子が、次第に暴走を始めたのだとしたら。それも孤独のひとつの姿に相違あるまい。

隆之は、自分の心の受け皿でいてくれただろうか。あるいは、自分は隆之の受け皿だったかどうか。それほどの愛情を互いに抱いてはいなかったような気がして、敏子は空を仰いだ。自分たち夫婦は、身勝手でもなく、権利を主張することもなく、淡々と自分の役割を果たすことで補い合って生きてきたのだ。それだけに、心を預け切っていた伴侶《はんりょ》を失った栄子の悲しみが直《じか》に伝わってきて、敏子は思わず口にした。

「ねえ、栄ちゃんが可哀相《かわいそう》よ。本当にアルツだったら、あたしたちはどうしてあげたらいいの」

美奈子と和世は真剣な顔で振り向いた。いつの間にか、洒落《しゃれ》たサングラスをかけた和世が、ショルダーバッグを掛け直して言った。

「冷たい言い方かもしれないけど、どうすることもできないわ。たまに会うだけなんだから、その時は優しくして、話を合わせてあげるしかないんじゃない。段々ひどくなるようだったら、病院を探してあげるとかしなくちゃいけないと思うけど。でも、栄ちゃんには甥御《おいご》さんとか、姪御《めいご》さんもいるでしょう、ご主人の方の」

　和世に、美奈子も同意した。

「いくら友達同士でも、一緒に住むことはできないんだから、仕方ないわよ。皆、それぞれ家族がいるんだしね」

　家族がいる、という美奈子の言葉は、敏子の心の芯《しん》を揺るがせる。自分は家族を失った。栄子の乱心ぶりは、他人事とは思えないのだが、それは美奈子と和世にはなかなか伝わらない。栄子が自分の境遇を心配して、頻繁に電話をくれたことを思い出し、敏子は胸が熱くなった。美奈子は敏子の心情に気付かない様子で、敏子のネックレスを指さした。

「それより、敏ちゃんは元気でいるの。さっきの電話は誰から」

「主人のお友達よ」と敏子はさりげなく答えた。

「あなたは栄ちゃんみたいにならないでよ」

　美奈子は明るく言ったが、敏子の心境は複雑だ。『明日は我が身よね』。そう言ったのは美奈子本人ではないか。美奈子はまだ独立しない子供が三人もいて、全員恙無《つつがな》く賑《にぎ》やかに暮らしている。現役の主婦である強みを感じさせると思うのは、こちらの僻《ひが》みだろうか。

美奈子は、じゃあね、と気持ちの切り替えを見せて手を振った。和世とデパートに寄って、中元の品の下見をするのだという。和世が香水の匂《にお》いをさせて近付いた。「そうそう。敏ちゃん、来月からうちのお店にバイトに来ない？　今、一人辞めるというので困っているの」

突然だったが、願ってもない話だった。敏子は顔を輝かせた。

「あたしみたいなおばさんでもいいの？」

「何言ってるの。あたしも同じ歳じゃない」和世が笑って肩を叩《たた》いた。「でも、時給は九百円しか出せないのよ。それも、月、水の二日だけなんだけど、どうかしら。試しにやってみる？」

是非、やらせて欲しいと頼み込み、敏子は何となく気持ちを弾ませて二人と別れた。週にたった二日間でも、結婚以来三十六年振りの仕事である。気心知れた友人の店とはいえ、再び誰かの役に立てることに純粋な喜びがあった。それに、この先の収入が、年金の十五万円しかないことを思えば、月に数万でも有難かった。

宮里の病院は、見舞客の訪問を午後三時からに限っている。時間に余裕のある敏子は、スターバックスの前に並んでいるベンチの隅に腰掛けた。天気が好いせいで、幼児連れの母親たちや学生がベンチを占領して、紙コップに入ったコーヒーを飲んだり、のんびりお喋りをしたりしている。敏子は携帯電話を取り出して、いろいろボタンをいじってみた。それから思い立って、栄子に電話をした。碌《ろく》な話もしないうちに、気分を害して一人先に帰った栄子が、哀れに思えた。それに、アルツハイマーの件も心配でならない。

「ああ、敏ちゃんか。この電話番号、登録しなくちゃならないんだわね。でも、もう面倒でできないわ」

電話に出た栄子は、最初から投げ遣りだった。家に帰っていないのか、声と一緒に車のクラクションの音が聞こえた。

「あなた、あまり話さないうちに帰ってしまったから、どうしてるかと思って」

「ごめん。最近すぐにかっとしちゃうのよ」

栄子はぶっきらぼうに呟く。

「そんなことないよ」

「ううん。あたし、怒りっぽくなったみたいよ。『集い』の方でも、実を言うと、除名処分ではなかったのよ。会長さんが、解任案を出してきたので、かっとして喧嘩《けんか》しちゃったの。それで引っ込みがつかないので、会費を返してくれ、そして除名にしてくれ、と頼んだの」

馬鹿なことを、という言葉を呑《の》み込み、敏子は栄子が自暴自棄になっていると感じる。だったら、友人たちに電話して、除名処分になったなどと訴える必要もなかった。栄子は、再び心の受け皿探しを始めているのだろうか。

「何かあったの」

「何もない」栄子は即座に否定した。「お金には不自由してないし、あたしみたいに楽ちんな老後を送れる人はそうはいないでしょう」

その通りだが、では他に何があるといって、栄子から「ホセ・カレーラス　ファンの集い」の仕事を取ってしまったら、何も残りそうもない。一緒に海外旅行に行く友人もいない。美奈子は家族の世話で忙しいし、和世とは馬が合わない。敏子は暇ができたが、栄子に付き合えるほどの余裕はなかった。敏子の沈黙が辛《つら》いのか、栄子はおっかぶせるように言い立てた。

「敏ちゃん、今度一緒にホセ様の公演に行こうよ。凄く素敵な人なのよ。あたし、尊敬してるの。あのね、テノールって、それだけで、神様から選ばれた人なんだって。体が大きいのに声帯が短い訳でしょう。だから、高い声が出るんだけど、それは滅多に授かる才能じゃないらしいんだ、受け売りだけどさ。それに、ホセ様は白血病を克服しているのよ。だから、白血病基金をやってらしてね。そのことも素晴らしいと思う。この間、アンコールワットで公演した時ね、あたしが手を振ったら、あたしの方を見て、ウィンクしたのよ。最後の投げキッスも、あたしの目をじっと見てするの。ドキドキしたわ」

ややや耳の遠い敏子のために、携帯ショップの女店員が通話音量を上げてくれたせいで、栄子の喋る声が携帯電話から洩れ出ている。隣に座っている大学生が、ちらりと敏子の方を見遣るので、やむを得ず、敏子はベンチから立ち上がった。それでも、栄子の話は止まらなかった。

「勿論、公演の後で、あたしの方をご覧になったとか、いや、あたしよ、なんて大騒ぎにはなるのよ。でも、嘘なんか吐かないわ。ホセ様はあたしのことが本当は好きなんだと思う」

「栄ちゃん、わかったわ。その話は今度ゆっくり聞く。今、外にいるから」

敏子は自分で言って情けなかった。栄子のホセ様礼賛は幾度となく聞いているからだ。ホセ様のことは、美奈子も和世も暗記しているほどだ。栄子は声を潜めた。

「今言ったこと、誰にも言わないでね」

「どのこと」

「ホセ様が密かにあたしのことを好きだということよ。絶対に秘密よ。特に、『集い』の連中には言わないでね。さっき、会長さんと喧嘩したって言ったけど、本当はこのことがばれたんで、除名になったんじゃないかと思うの」

気付くと、敏子は人込みを掻き分けながら受話器を耳に押し当てて歩いていた。どうしたらいいのか、わからなかったのだ。自分の人生の先輩だと思っていた栄子がおかしくなってしまった。アルツハイマーかもしれない、と和世が言った時、半信半疑だったが、自分が直面している事実は紛れもないような気がする。足が震えた。

「わかった。絶対に言わないから安心してよ」

「良かった。あたし、敏ちゃんは信用してる。だって、同じ未亡人仲間じゃない。美奈ちゃんや和世ちゃんは駄目よ。信用できない。知ってるでしょう、美奈ちゃんのこと」

「知らないわ」

心臓がどきどきした。まさか、さっき美奈子が怒ったことを言うのではあるまいか。

「あの人、さんざん苦労してお姑《しゅうとめ》さんを見送ったって言ってるじゃない。でも、ちゃっかり保険金かけてて、貰ったのよ。あの家の改築って、そこから費用が出ているの」

「栄ちゃん、やめなさいよ。そんなこと言うの」

「何で。本当のことよ。和世ちゃんだって、さっき認めていたでしょう。本当はね」

「他人の噂話なんか聞きたくないわ」

敏子がきっぱり拒絶すると、栄子はしんとした。栄子の電話から、遠い街の喧噪《けんそう》が聞こえてくる。

「栄ちゃん、早くおうちに帰りなさいよ。今、どこにいるの」

「あたし？　あたし、今『集い』の事務局の前にいるのよ。行くとこなくってさ。さっき顔出したら、新しい事務局長が、何の用ですかって冷たい顔して言うのよ。あたし頭に来ちゃって、それが長年苦労した理事への言葉かって」

敏子は怖ろしくなった。早く止めたい一心で、話を変えた。

「栄ちゃん、栄ちゃん、待って。それよりお蕎麦に興味はない？　お蕎麦好きよね。この間、うちで会った今井さんて人、覚えている？　あの人たちが、何人かでお蕎麦の名店を食べ歩きしているんだって。月に一回くらいなんだけど、それに来ない？もし、興味があるのなら、今井さんに聞いてみてあげるわ」

「行くわ。誘って」栄子は急に少女じみた明るい声を上げた。「嬉しい。だったら、少しお蕎麦の勉強をしないといけないわね。あなたもお蕎麦を打ってるの」

「あたしは食べるだけよ」

「駄目じゃない、それじゃ」

栄子は詰《なじ》るように言った。敏子は、不意に父方の祖母のことを思い出した。若い頃、尋常小学校の教師をしていた祖母は歳を取っても矍鑠《かくしやく》としていたが、九十近くなって呆《ぼ》けてしまった。これは重要書類だから誰も触ってはいけない、と半紙を束ねた物を箱に入れて大事に仕舞っていた。異臭に気付いた敏子の母親が、こっそり箱を開けると、半紙と半紙の間に排泄物《はいせつぶつ》が挟まっていたことがあった。その頃の祖母の物言いにどこか似ている気がする。幼児のように、ころころと変わる気分と意思も。いったいどうして、この人は短期間でこんなに変わってしまったのだろうと、敏子は恐怖を覚えた。

「そのことはまた連絡するわ。栄ちゃん、駄目よ。今日はもうおうちに帰りなさいね。『集い』の事務局に行ったら駄目よ」

嫌われちゃうわよ、と続いて出そうな言葉を呑み込み、何度も自分に禁じた。栄子が「わかったわ」と素直に答えたので安心して電話を切ったが、同時に汗が噴き出て、内心の動揺は抑えがたい。

しかし、今度は、焦《あせ》るあまり、勝手に栄子を誘ってしまったことが心配になり、敏子は塚本に連絡を取った。今度はすぐに電話に出た。

「塚本さん、さっきは失礼しました。関口です」

塚本は磊落《らいらく》な口調で、答えた。

「こちらこそ。ちょうど良かった。今、ゴルフ練習場でひと休みしているところなんです。今日みたいに天気が好いとビールが旨《うま》いです」

邪魔をした訳ではないらしい、とほっとしつつ、敏子は栄子の件を言った。

「勝手なお願いなんですが、来月の蕎麦の会に、私の友人を連れて行ってもよろしいですか」

「勿論ですよ。会といっても、ただ飲み食いして、勝手なことを言うだけなんですから」

塚本は気持ちよく了解してくれた。

「ありがとうございます。このことは今井さんにお断りしなくてもよろしいでしょうか」

「僕から言っておきますよ。師匠も、人数が増える分にはいいんじゃないかな。何せ、旨い十割蕎麦普及委員会委員長様だから。ところで、その人は女性ですか」

「はい、私の同級生です」

「じゃあ、まだお若いですね。嬉しいなあ。こういうの何て言うんでしたっけ。合コンか」

若いと言われた敏子は、思わず苦笑した。しかし、その後、何となく気詰まりで間が空いた。塚本は仲間が一緒なのか、自ら喋ろうとはしない。敏子は折角電話したのだから話の穂を接《つ》ごうと思い、話題を探した。

「あの、図書館で何を借りられたんですか」

「図書館？」塚本は素《す》っ頓狂《とんきよう》な声を上げた。「図書館、あまり行きませんね。だいたい、うちの近くにないんでね」

「でも、さっきは午前中に図書館にいらしたと仰いませんでしたか」

不審に思ってなおも問うと、塚本は、ああ、そうそう、と思い出したようだった。

「忘れていた。今日はね、スポーツ新聞を読みに寄ったんですよ。昨日、阪神が勝ったから記事を読みたいと思って。会社に行ってた時は通勤の途中で買って読むでしょう。でも、退職してからは読む機会がないので、図書館で読むんです。何でも揃《そろ》っているから、退屈しないんですよ」

敏子はほっとして調子を合わせた。

「私もよく行きます。単行本て、高いじゃないですか。それに買うと場所塞《ふさ》ぎになるし。だから、新刊は図書館で読むことにしてるんです」

「うちの女房と同じことを言っているね」塚本は高らかに笑った。「じゃ、またお電話しますよ」

「はい、ありがとうございました」

敏子は満足して電話を切った。栄子は孤独だが、自分はそうはなりたくないという強い思いがある。塚本がいれば、孤独な老後とは無縁でいられるという安心感があった。しかし、次の瞬間、敏子はあっと叫んだ。月曜は、ほとんどの図書館が休館日だと思い至ったのだ。塚本につまらない嘘を吐かれたことに痛みがある。これが、さっき話した時の違和感の正体だったのか。図書館が休みだという事実そのものではなく、自分には嘘を吐いてもいい、と思っている塚本の心の在《あ》り方に対して、無意識に感応したのかもしれない。

塚本の嘘などたいしたことはない。敏子は、何度も自分に言い聞かせた。だが、どんなに些細《ささい》なことでも、他人に欺《あざむ》かれることに全く慣れていない敏子にはこたえるのだった。世間知らずだと嘲笑《あざわら》われても、敏子にとって、嘘を吐いてまで隠したいことがあるとしたら、それは余程のことだった。馬鹿正直に暮らしてきた自分は、これから平気で嘘を吐く世間というものに翻弄《ほんろう》され続けるのかもしれない。

隆之は、長い間自分を騙《だま》しながら、そんな妻である自分をどう見ていたのだろう。楽な女房だと安心していたのか、いつかはばれるとびくびくしていたのか。敏子は在りし日の夫の姿を思い出した。外食や旅行の際の、理由と言い訳。何の疑いも持たなかった自分は、さぞかし御しやすい女に映ったことだろう。塚本だとて隆之同様、さんざん妻に嘘を吐いてきた男に違いあるまい。自分を翻弄する世間とは、隆之であり、塚本でもあった。

塚本とは、この先どうなっていくのだろうか。今日の塚本の電話では、蕎麦食べ歩きついでの密会になりそうだった。それは自分の望んでいる関係だろうか。蕎麦に興味がないのに、塚本と会うために食べ歩きに行くのだとしたら、それは塚本主体のペースではあるまいか。塚本を好きになれるかどうかもまだわからないのに、早まったことをしでかしてしまった。敏子は早くも自己嫌悪《けんお》を感じながら、立川までの切符を買ったのだった。

宮里が入院している総合病院の自動ドアが音を立てて左右に開いた。先夜とは打って変わって、ロビーは子供が走り回り、病人や付き添いの人たちで溢《あふ》れ返っていた。ソファに座れない人たちが、会計カウンターの前に立って順番を待っている。敏子は、野田と並んで腰掛けたソファを眺め、宮里が倒れた夜の心許《こころもと》なさや不安を思い出した。人気のない夜の病院の寂しさといったら、昼の賑やかさからは想像も付かない。

受付で尋ねると、宮里は集中治療室から普通の病室に移ったという。ひとまず安心はしたものの、後遺症が心配だった。敏子は不安な気持ちでエレベーターに乗った。

病室の入り口に名札が掛かっていた。全部で八枚。「宮里しげ子」とマジックでぞんざいに書かれた名を確かめ、敏子は開け放たれたドアから病室に入った。さして広くない部屋に、所狭しとベッドが置いてある。各ベッドはそれぞれ薄黄色のカーテンが引かれ、中からはテレビの音声や、何かを咀嚼《そしやく》する音、高い鼾《いびき》などが聞こえてきた。

宮里は中央のベッドに寝ていた。そこだけカーテンが引かれていないのは、宮里が自分で引くことができないせいらしい。病床の横のテーブルには、景品らしい湯飲みと、汚れた一葉の写真が置いてあった。目の吊《つ》り上がった茶色の犬が鎖に繋《つな》がれてこちらを見ている写真だった。吠《ほ》えて、宮里を助けたというペスの写真なのだろう。

宮里は不自然に体を強張《こわば》らせ、目を閉じていた。大柄だった体がひと回り縮み、髪が真っ白になっていた。導尿チューブがベッドの端から下に垂れて、痛々しい。一気にか弱い老婆《ろうば》になった宮里を見て、敏子は言葉を失った。

「宮里さん」

敏子は小さな声で名を呼んでみたが、宮里は微動だにしない。隣のベッドのカーテンが音を立てて開き、四十代と思《おぼ》しきピンクのパジャマを着た女が、わざわざイヤホンを外して敏子に話しかけた。

「宮里さん、意識がないんだってさ」

女はラジオを聴いていたようだ。イヤホンから、漫才の耳障《みみざわ》りなお喋りが洩れ出た。

「意識はまだ戻られてないんですか」

「そうなんだって。この間、回診の時に院長先生が言ってたけど、あの長嶋さんと同じ病名らしいわよ。確か、心原性脳塞栓《そくせん》症とかいうのよ」

向かい側のベッドで、見舞い客の老人と話し込んでいた老女が口を挟んだ。上品な口調だった。老人は夫のようだ。

「奥泉さんは頭がいいわね。よくそんな難しい病名を覚えられること」

奥泉と呼ばれた隣の中年女が照れ笑いした。

「長嶋さんと同じって言うから、ついつい耳に入っちゃって」

意識がないのなら、見舞金は野田に渡した方が無難だろう。敏子は熨斗《のし》袋をバッグに仕舞った。宮里とは見知らぬ他人に近い間柄なのだから三千円しか包んでいないが、彰之が聞いたら、それすら必要ないと怒るに違いなかった。

「あなた、野田さんの奥様ですか？」

向かいの老女が老眼鏡を掛け直し、敏子の顔をしげしげと眺めた。

「いいえ、違います。知り合いの者です」

「あら、そう。野田さんの奥さんて、一度も見えないって噂してたもんだから」

老女は言外に非難を籠《こ》めているかのようだった。奥泉もしたり顔に頷いている。

「野田さんはよくお見えになりますか」

敏子の質問に、老女と奥泉が顔を見合わせた。

「この二、三日はいらしてないわよね」

「いや、もっとじゃない」

野田は忙しくしているのだろう。借金を抱え、昼夜ふたつの仕事を持っている上に、寝付いてしまった宮里の世話までが、その肩にかかっているのだから。体でも壊していなければいいが。急に心配になった敏子は、カプセルホテルを訪ねてみることにした。

「宮里さん、また来ますね」

声をかけた途端、宮里が片目をうっすらと開けたので、敏子は驚いて叫んだ。

「目を開けられましたよ」

奥泉が冷静に答えた。

「左目は時々開けるのよ。でも、意識はないんだって先生は言ってるけど、本当のところはわかんないわよね。だから、あたしはいつも、お早うって挨拶《あいさつ》だけはしてるんだけどさ」

敏子は宮里の歪んだ顔を見つめた。敏子は宮里の耳許に口を近付けて、一語一語はっきりと言った。

「宮里さん、ホテルでお会いした関口です。覚えていらっしゃいますか。宮里さんが倒れられた時、あたしがお風呂場《ふろば》で見付けたんですよ」

「あらまあ、そうだったの。命の恩人じゃない」

敏子の話に聞き耳を立てていたらしい老女が声を上げた。その夫は、素知らぬ顔で、紙皿の上で器用に林檎《りんご》の皮を剝《む》いている。

「あ、また目を開けた。やっぱり聞こえてるんじゃないかな」

ベッドから身を乗り出して様子を見ていた奥泉が弾んだ声を上げた。敏子は呼びかけながら、骨と皮になった宮里の右手を取った。

「そっちは駄目。右半身が麻痺《まひ》してるんだって」

奥泉がベッドの横に立って指示した。言われた通り、敏子は左手を握ってみた。こちらは温かく、血が通っている感じがする。しかし、目は開けていても、宮里の目には何の反応もなかった。

「何かよくわかんないわね。でも、諦《あきら》めちゃいけないっていうから、頑張ってみたらどう」

奥泉はそう言って、ベッドのカーテンをぴしゃりと閉めてしまった。もう一度宮里の手を取った敏子の背後から、声がかけられた。

「宮里さんのお見舞いの方？」

百七十センチはあろうと思われる長身で、姿勢のいい女性看護師が敏子を見下ろしていた。五十歳前後。老眼鏡をかけているため、中の目玉がぎょろりと大きく見える。

「今、宮里さん、目を開けたんですけど、本当に意識はないんですか」

看護師はちらりと宮里を見遣っただけで、敏子の質問には答えなかった。

「すみませんけど、帰りにナースステーションに寄っていただけますか」

物言いがはっきりしている上に大声、しかもにこりともしないから、怒られているように感じられる。看護師が出て行った後、老女がおかしそうに付け加えた。

「あの人、看護師長さんよ。怖いでしょう。やっと、師長になれたんで威張っているの。その前の人はいい人だったけど、地方の病院に引き抜かれちゃったんで、念願の師長に昇格できたのよ。その途端に物言いが横柄《おうへい》になっちゃって。人間って変わるから面白いわね」

くくく、と笑う老女の傍らで夫もにやにや笑って頷いている。長い患《わずら》いで退屈しているに違いない。それにしても、看護師長が宮里を見下ろす視線の冷たさが気になる。敏子は、宮里に挨拶した。

「また伺いますから。お大事にね、宮里さん」

敏子の声に反応したかのように、宮里はまた左目を開け、すぐに閉じた。瞬《まばた》きのようにも見える。本当に意識が戻っていないのだろうか。本気で医療行為がなされているのかどうか。敏子は気にしながら、病室を後にした。

ナースステーションは、エレベーターの前にあるガラス張りの部屋だ。敏子を待っていたと見えて、入り口に件《くだん》の看護師長が立っていた。古ぼけたバインダーを手にしている。

「宮里さんと、どういうご関係ですか」

まるで尋問のようなので、敏子もいささか気を悪くした。

「知り合いですけど」

「どういうお知り合い」

何でそんなことを他人に言わなくてはならないのだろう。敏子が黙っていると、師長が敏子の顔を覗《のぞ》き込んだ。

「野田さんのご関係ですか。ご親戚《しんせき》？」

「何の関係もありません。私が、風呂場で倒れている宮里さんを発見したので、そのご縁でお見舞いしているだけです」

「風呂場って、あのカプセルホテルのですか」

看護師長の目に怪訝な色が浮かんでいる。いったい何を言いたいのだろう。敏子はさすがに腹立たしくなった。

「私、急いでいますから」

去ろうとする敏子の肩を、師長の厳《いか》つい指が摑んだ。

「はっきり言いますが、実は入院保証金をまだ戴《いただ》いてないんですよ。野田さんには入院の時からずっと申し上げているんですけど、どうなっているのかご存じないかと思って」

師長はバインダーを眺めて、説明を始めた。この病院では、入院の時点で十万円の入院保証金を貰うことになっている、再三再四、督促しているにも拘《かか》わらず、野田からはまだ払い込みがない、どうなっているのか知りたいが、野田は最近顔を見せないし、野田以外の見舞客もいないから、こちらも困っていた、という理由なのだった。

師長は、敏子にはっきりと言った。

「あなたが立て替えてくださる訳にはいきませんか」

敏子は首を振った。宮里にそこまでしてやれる関係ではなかった。しかし、野田には余裕がないことを思えば、気の毒にもなるし、ここで立て替えたりすれば、「お人好《よ》し」と誰からも非難されるに決まっていた。敏子の一瞬の逡巡を素早く見て取ったのか、師長は続けた。

「でないと、宮里さんは転院していただかなくてはなりません。あるいは、ご自宅に帰られるか。ベッドが空くのを待っている患者さんは大勢いらっしゃるんです」

病院の事情はわかるが、宮里や野田の懐《ふところ》具合を知っている敏子には、あまりにも無体な要求に思えた。宮里には自宅などないのだ。

「もう少し待っていただけませんか。野田さんにお会いして話してみます」

師長は難しい顔をした。

「電話にもお出にならないし、逃げ回っておられる感じなんですよ。患者さんには気の毒だけど、こちらもこれ以上待てないのでね」

師長は、紙とボールペンを差し出した。

「すみませんが、ここにお名前と電話番号を書いていただけませんか。野田さんにご連絡が取れない時はそちらにご連絡させていただきます」

余計なことに関わってしまったようだ。敏子は躊躇ったが、これから野田と会えば、野田が何とかするだろうという気持ちもあったので、不承不承、名前と電話番号を書き入れたのだった。これから、カプセルホテルに寄ってみるつもりだ。

敏子は、寂れたカプセルホテルの看板を見上げながら、自分を褒めてやりたいような、誇らしいような、勝利者めいた気分に酔っていた。結婚以来、働いたこともなく、一人で旅行したこともない、臆病《おくびょう》な専業主婦だった自分が、こんな場末のカプセルホテルに四泊もし、そこで知り合った他人とまた縁を持とうとしているのだから。大胆で無謀、と人は言うだろう。しかし、この経験がなかったら、自分が別の人生を選び取っていたのは確実だった。不満をはっきり口にできないままに息子夫婦を受け入れて、今頃はさぞかし後悔と鬱屈《うっくつ》の毎日を送っていたに違いない。ホテルでの初日、あまりの寂しさに声を上げて号泣したことが今では懐《なつ》かしい思い出だった。

敏子は、すぐにエレベーターには乗らず、地下に延びる階段を数段下りた。地階にあるカラオケボックスからは、相変わらず喧《やかま》しい音が響いている。薄暗い照明のもとで手鏡を覗き、手早く白粉《おしろい》を叩き、口紅を引き直した。病院から歩いて来たせいで、汗が噴き出ていた。

化粧を直した敏子は、後ろを振り返った。そろそろ野田が出勤して来る時間だ。以前、エレベーターの中で、野田に綺麗だと褒められたことが念頭にある。あの時みたいに、偶然出会えたら嬉しいのだが。久しぶりに自分と会った時の野田の反応も見たかった。

しかし、敏子の思惑は見事に外れた。野田はなかなか現れない。敏子は野田を待つのを諦め、ホテルに直接行くことにした。

ホテルのロビーは人影がなく閑散としていた。しかも、緩んだだらしなさが感じられる。宮里が座っていたソファには、スナック菓子の袋や食べこぼしが散らかっていたし、自販機の前のゴミ箱は、ペットボトルや缶が溢《あふ》れ返っていた。掃除が行き届かないのか、床も埃《ほこり》っぽい。自分が泊まりに来た時にこんな状態だったら、泊まらずに帰ったことだろう。何かあったのだろうか。敏子は奇異に感じながら、フロントに向かった。

「お泊まりですか」

前にチェックインした時に接客してくれた若い男が、面倒臭そうに顔を上げた。敏子の顔を覚えていないようだ。敏子は、泊まり客ではないと断ってから、男に聞いた。

「野田さんは何時頃に見えますか」

「野田ですか」

男は、またかと言わんばかりに頭を掻き、上目遣いで敏子の風体《ふうてい》を観察した。

「そちらさんは、どういうご用ですか」

敏子は返事に困った。面と向かって用件を尋ねられると、言いあぐねる。

「あの、宮里さんのお見舞いついでに寄ったんですが」

男は意外だったのか、顔を上げた。

「ああ、フロ婆《ばあ》さんね」

「はい、そうです。あの人が倒れた時、あたしがお世話したものですから」

フロントの男は、敏子の顔を思い出したと見える。なるほどねえ、と口の中で呟き、何と言おうかという具合に揉《も》み手した。

「野田さんはね、当分、こっちには来ないですよ。てか、もう来られないでしょうね」

「お病気か何かでしょうか」

「病気なら、まだいいんだよね」

男は、本当のことを言いたがらない。野田は、ここを辞めて、新古書店だけで働くことにしたのだろうか。あるいは、もっと実入りのいい仕事に就《つ》いたのか。

「お辞めになったんですか」

「きちんと辞めるんなら、まだいいんですよ。フロ婆さんを捨てて、夜逃げしちゃったんですよ。まったくねえ、皆が迷惑するの、わかんないのかって」

男が吐き捨てた。唖然《あぜん》として言葉が出ない敏子の顔を見つめたまま、男は滔々《とうとう》と喋り始めた。

「お蔭でね、私なんか二十四時間働いちゃってるんですよ。交代要員が来なくてね。まあ、夜中なんかは保《も》たないから、仮眠取っちゃいますけどね。オーナーも、人を出す出す、と言いながら、まだ寄越さないんですよ。リストラかけて、最低限の人数で回してるでしょ。こんな時、どうしようもないんだわ。ほんと、俺も限界ですって。もう三日間も一人でやってるんだから、あったま来ますよ。そりゃね、最初は俺だって同情ありましたよ。野田さん、頑張ってるし、いい人だしさ。ぷっつんと切れちゃったんだろうなあ、とかね。余裕こいてたから、優しく考えてあげられた。でも、今は怒り、それしかないです」

まくし立てる男の唾が敏子の頬にかかった。男は気付かず、文句を言い続けた。

「三日前になるかな。野田さんが時間になっても来ないからさ、俺も帰れなくてしばらく待ってたのよ。だけど、一時間待っても、二時間待っても来ないでしょう。自宅や携帯やブックオンに電話してみたりしたんだけど、自宅の電話は、現在使われてないって言うし、ブックオンは昨日から欠勤だって言うじゃない」

「しかも、携帯なんか電源切っちゃってるんだよ。嫌な気がしましたよ。そしたら、前の晩に野田さんを除く家族全員が、夜中にふけちゃったんだって。野田さんは、夜勤が終わってから、こっそり家族のいるところに逃げたらしいの。きっと、どっかで待ち合わせたんだろうね。ブックオンの人間が見に行ったら、マンションはもぬけの殻だってさ。いつの間にか、家財を運び出してたんだね。計画的だったの」

敏子はまだ信じられなかった。自殺しかけた宮里に、一生面倒を見る、と土下座したのではなかったか。野田はそんなに酷《ひど》い男だったのか。

「どうして夜逃げなんかしたんでしょう」

「借金がかなりあったらしいよ。近頃は金利も払えなくなって、街金《まちきん》に手を出してたって噂もあったもん。だから俺、お客さんは新手の取り立て屋かと思ったくらいですよ。最近はおばさんが来たりするらしいし」

男は、敏子を指差して苦笑し、フロントのカウンターをくぐって廊下に出て来た。

三十前後と思われる男は子供っぽい仕種で伸びをした。

「ああ、馬鹿馬鹿しい。俺、休業の看板出しちゃおうかなと思ってたとこですよ」

敏子は照明の消えた風呂場をちらりと見遣った。泊まり客は誰もいないのだろうか。

「お客さんはいないんですか」

「それが不思議なの。フロ婆さんが入院した途端、客足がぷっつりと、途絶えてね。あれは繁盛《はんじょう》する神様だったのかもしれない、なんてね。長逗留《ながとうりゅう》している時は、何でこの婆さんは碌に金も払わねえで我が物顔にしてるんだって、腹が立ったもんだけど」

男は煙草に火を点《つ》け、うまそうに煙を吐いた。敏子は、立って長話をするのが辛くなってきたので、ロビーのソファに腰掛けた。さっき化粧を直した自分が滑稽《こっけい》に思えてならなかった。フロントの男が横にどっかと座った。弾みで、敏子の腰が浮くくらい乱暴だった。

「宮里さん、どうなるのかしら。さっき、お見舞いに行ったら、入院保証金が入ってないって文句を言われたのよ」

敏子はソファの上に落ちている菓子クズを手で払い除《の》けながら呟いた。金を払えないから、病院で冷遇されていたのかもしれない。看護師長の鋭い視線が蘇《よみがえ》る。

「さあねえ。あれじゃないすか、福祉事務所とかのお世話になるんじゃない。でも、それだって、俺の税金遣ってんですよねえ」

男は、何度も生欠伸《なまあくび》を嚙み殺した。

「何したって、野田さんは人生をリセットできないでしょうね。終わりですよ、終わり。一巻の終わり」

敏子もそうだと思う。野田は四十八歳。やり直せない年齢ではない、とは思えなかった。野田は疲れてしまったのだ。関わりを持てる、と思った自分は安易だった。人生劇場。またしても蘇る俗な言葉。敏子は、悲しくなって廊下の奥の暗がりを眺めた。

男が何か思い出したのか、安っぽい緑の制服を脱ぎながら、急に立ち上がった。

「すみません、奥さん。今、下に休業の貼《は》り紙出すついでに、オーナーの家に行って直談判《じかだんぱん》して来ます。ちょっと番してて貰っていいすか」

敏子は驚いて、腰を浮かせかけた。

「えっ、あたしが番をするの。お客さんが来たらどうしたらいいの」

男は両手で敏子の肩を押さえる真似をした。

「何もしなくっていいんですよ。ただ、予約の電話がかかってきたら、満室だと断ってくれればいいんです。あと、ドリンクの業者が来るんで、納品書を貰ってください。それだけでいいですから。奥さんは何もしなくていいです。フロントに入っててください。万が一、客が上がって来たら、今日は満室だと断ってくれますか。すみません、小一時間お願いします。オーナーの家は砂川町なんで、すぐ戻ります」

敏子が止める暇もなく、男は拝むようにして身を屈《かが》め、飛び出して行った。男が乗り込んだエレベーターの扉がぴしゃっと閉まった途端、敏子は心細くなった。ビルに閉じ込められた気分だ。誰かに電話して、どうしたものか相談したかった。が、果たして誰に聞いていいものかどうか。美保や彰之は、早く帰れ、と怒るに決まっていた。栄子は精神のバランスを崩しているし、美奈子は、こんな羽目に陥った自分に説教しそうだ。和世は優しいが、先程垣間《かいま》見た、栄子への反駁《はんばく》の瞬間を見ると、臆するものがある。塚本は、さっき嘘を吐かれた痛みがまだ残っているので避けたい。しかし、子供じゃあるまいし、何をどう相談する、というのだろう。敏子は苦笑した。すべては、自分が飛び込んで引き受けた事件ではないか。

「すみません」

いきなり話しかけられた敏子は、思わず悲鳴を上げた。いつ入って来たのか、異様に痩《や》せた若い女が眼前に立っていた。美保くらいの年齢か。破れたジーンズに、色違いのタンクトップを二枚重ねて着て、敏子が若い頃に流行《はや》っていたような黄色のチューリップハットを目深《まぶか》に被っていた。

「今日はやってないんですよ。いえ、満室なんです。駄目なんです」

慌てる敏子に、女は、「違うんです、泊まるんじゃないんです」と手を振った。微かに地方訛《なまり》が聞き取れた。

「あたし、ポストカードを作って売ってるんですけど、こちらに置いていただけませんか」

女は、敏子に止める間を与えず、布製の手提げ袋から絵葉書を数枚取り出した。色鉛筆で花や猫などが描かれている。どこかで見たような平凡な絵柄だったが、敏子はとりあえず褒めた。

「あら、可愛《かわい》いじゃない」

「他にもあります。見てください」

調子に乗った女は袋から、何枚も取り出した。よく見ると、角が擦《す》り切れてる物や、破れかかった物もあるではないか。

「ちょっと待って。こんなに出されても困るわ。それに、汚れているのもあるじゃない」

「置いて貰うだけですよ。買うのはその人の勝手じゃないですか」

女は恨めしそうな顔をした。敏子は、女の図々しさに呆れた。

「ともかく、あたしの一存では駄目なの。あたしはただの留守番だから」

「留守番なんですかあ」

一転して、女は狡《ずる》そうな目付きで事務所の奥を窺った。敏子は女の変化が怖くなった。自然、諌《いさ》める口調になる。

「あなた、どこから入って来たの」

「三階のカラオケ屋です」

三階にもカラオケ屋がある。そこから勝手にエレベーターで上がって来たらしい。エントランスに貼り紙をしたところで、雑居ビルだから、どこからでも入れるのだった。

「ともかく今日は無理だから、お帰りなさい」

なるべく威厳を正して言ったつもりだったが、女は露《あら》わにした貧相な肩を竦めてみせただけだった。

「じゃ、おばさん買ってくんない。さっき、可愛いって言ったじゃない。あたし、お金に困ってるの。今日、食うもんもないんだよ」

追い払うには、一枚くらい買ってやった方がいいのかもしれない。不承不承、敏子は承知した。

「じゃ、一枚ちょうだい。いくらなの」

「三千円」

法外さに、敏子は飛び上がった。最初から、女が金をせびるつもりで上がって来たことにやっと気付いた。自分の迂闊《うかつ》さに腹が立つ。

「そんなに高いのなら要らないわ」

「買うって言ったじゃない」

「常識外の値段でしょう」

女はむっとした顔でチューリップ帽の庇《ひさし》を上に上げた。荒《すさ》んだ目の周りに黒いアイラインが醜く滲《にじ》んでいる。美保と同じ年齢かと思ったが、遥《はる》かに若い。女の強盗が増えている、と美保が言っていたことを思い出し、敏子は数歩後退《あとずさ》った。

「おばさん、言ったじゃねえかよ、買うってよう」

女は口調を変えて凄み始めた。

「押し売りじゃあるまいし、いい加減にしてよ」

敏子はつい笑いだしてしまった。何をするかわからない女に凄まれているのだから怖いのは確かだが、女の何かを真似たような幼い言い方と、若い女に絡《から》まれて困っている自分が何だか可笑《おか》しかった。たちまち、女は傷付いた顔をした。

「何が可笑しいんだよう」

「ごめんなさい、つい」

女は仏頂面《ぶっちょうづら》で睨み付けていたが、諦めた様子で捨て台詞を吐いた。

「だったら、最初から断れよ。クソババア」

目に悔し涙が浮かんでいる。敏子は急に哀れを催した。

「一枚三百円なら買ってあげる。それなら、吉野家かマクドナルドに行けるでしょう」

うん、と女は素直に頷き、カウンターに十数枚の葉書を並べた。敏子は、一番うまく描けていて、比較的汚れていない葉書を選んだ。鉄砲百合《ゆり》の図柄だった。稚拙だが、百合の野性が良く出ているように思える。余白に、be happy と書いてあるのも気に入った。あなたも早くハッピーになりなさいよ。敏子は若い女にそう言いたい気持ちを抑えた。敏子が三百円払うと、女は「ありがとうございました」と丁寧に頭を下げて、やっと出て行った。

大過なく済んだことにほっとして、敏子は腕時計を見た。小一時間の留守、とフロントの男は言ったが、すでに六時を回っている。手間取っているのだろうか。電話が鳴った。宿泊の問い合わせだ。教わった通り、敏子は「満室です」と断った。当てにしていたらしく、うろたえた客の声を聞いて、どこかに、かつての自分のような行き場のない女がいるかもしれない、と思う。そんな女が泊まりに来た時、優しく迎えてあげたかった。不意に宮里のことが思い出された。あんな汚れた写真を持って、一人放浪していたのかと思うと、宮里の侘《わび》しさを思って落涙しそうになる。

敏子は小さなスツールに腰掛けて、葉書を見つめた。野田に手紙を書いてみようと思い付いたのだ。消息もわからないが、どこかで必死に生きているであろう野田に、届かないのは承知で、何か言葉を送りたかった。

敏子は、カウンターの上に転がっていたボールペンを握って文案を考え始めた。またエレベーターの扉が開いた。今度は、つなぎの制服を着たドリンク会社の青年だ。台車を押している。敏子は、ほっとして青年に軽く会釈《えしやく》した。挨拶を返した青年は、自販機を開けて缶やボトルを手早く補充していく。作業はあっという間に終わり、青年は敏子に納品書を持って来た。

「珍しいですね。女性がフロントにいるなんて」

青年が、白い歯を見せて笑いかけた。若い人はいいなあ、と思いながら、敏子もにこやかに答えた。

「今日は、野田さんがお休みなので」

「そう言えば、最近見ないすね」

敏子は曖昧《あいまい》に相槌《あいづち》を打った。青年が気が好さそうなので、ついでに、空き缶やボトルの始末をしてくれないかと甘えた。気安く引き受けてくれたので、敏子は役に立ったような気がして、嬉しかった。まいどー、と言葉尻《じり》を長く引いて、青年が台車を押して扉の中に消えた。敏子は、落ち着いたところで早速、野田への手紙を書いてみることにした。

「拝啓　お元気ですか。宮里さんのお見舞いに伺ったついでにホテルに寄りました。野田さんの消息が不明と聞いて、心配しております。何があっても、強く生き抜いていただきたいと、そればかりを願っています。宮里さんも、まだ困った状況におかれていらっしゃるようですね。できることにも限度がありますが、これも何かのご縁。皆でお困りのことがあるのなら、ご遠慮なく仰っていただきたかったと思いました。皆でhappyに生きようではありませんか。関口敏子」

届かない手紙と思うと、気楽に書ける。敏子は、調子に乗ってhappyなどと書いてしまった自分に驚きつつも、これが本音なのだとしみじみ思った。どうせ、これから先は喪失との戦いなのだ。友人、知人、体力、知力、金、尊厳。数えだしたらキリがないほど、自分はいろんなものを失うことだろう。老いて得るものがあるとしたら、それは何なのか、知りたいものだ。

エレベーターが開いた。フロントの男がやっと帰って来てくれたらしい。が、振り返った敏子は、驚いて言葉を失った。

「野田さん」

野田が敏子を見て、立ち竦んでいた。黒いキャップを目深に被り、灰色のジャンパーの襟を立て、黒のズボン、白いスニーカーという格好は、いかにも逃亡者然としている。野田は周囲に誰もいないか目を配った後、キャップを脱いでお辞儀した。

「すみません、こんなことになっちゃって。恥ずかしいです」

「あなた、どうしたんですか。噂では」

敏子に最後まで言わせず、野田から口にした。

「夜逃げしました。恥ずかしいことです」

「心配してましたよ」

敏子の言葉に、野田は俯いた。

「すみません。凄く惨《みじ》めです」

「それはいいけど、今日はどうなさったの。もうじき、ここの人がお帰りになりますよ」

野田は慌てて、エレベーターの階数表示を見上げた。動きはない。野田は安心した様子で、懐から鍵束《かぎたば》を出した。

「実は、合い鍵を持って帰ってしまったんで戻しに来たんです。これがないと困るだろうから」

野田は鍵束をカウンターに置いた。照明の下で見ると、野田は前より窶《やつ》れ、薄い髪が脂《あぶら》じみて頭皮に張り付いている。しかも、余裕のない心の有様が表情に出るのか、目許が暗かった。敏子は、野田は律儀《りちぎ》だと思いながら、鍵束を眺めた。リネン室、風呂場などと書かれたプラスチックのプレートがじゃらじゃら付いている。

「奥さん、お元気になられましたか」

野田が、敏子の顔を見つめた。一瞬、目に光が戻ったように見えた。

「ええ、あたしは大丈夫です。それより、宮里さんはどうなさるんです」

「どうにもできないんです」野田が悲痛な顔をした。「本当に悪いと思っています。このまま、福祉の方にお願いするしか方法はありません」

エレベーターの階数表示が動き始めた。野田が非常階段に向かって歩きだしたので、敏子は書いたばかりの葉書と宮里への見舞金の袋を手渡した。野田ははっとして手の中の物に見入っている。

「あの人戻って来ますよ」

敏子は気が気でなかった。だが、エレベーターはのんびりと三階で停まっている。その隙《すき》に、野田は葉書の文面を読んだらしい。上げた目に涙が溜《た》まっていた。

「関口さん、本当にありがとうございます。私、またも敗残者になってしまいましたが、あなたの葉書を大事にして生きていきますから」

「何を仰るんです。また連絡くださいよ」

敏子は、メモに自分の携帯の番号を殴り書きし、野田に渡した。

「遠慮しないで、お電話ください」

「ありがとうございます。いつか必ずそうさせていただきます。今度は少しマシな男になって、あなたの前に現れたいと思います」

野田は何度も頭を下げながら、非常口から消えて行った。敏子はしばらく呆然《ぼうぜん》としていたが、扉が開くと同時に我に返り、鍵束を物陰に隠した。

「すみませんねえ。ごめんなさい」

甲高い女の声がして、敏子は振り返った。白髪を短く刈り込んだ老女が頭を下げていた。孫らしい小学校低学年の女の子の手を引いている。髪が真っ白で無化粧だから老けてみえるが、顔の色艶《いろつや》は良いし、声が高く澄んでいるところを見ると、敏子とたいして歳は変わらないようだ。絣《かすり》の着物をリフォームしたらしい、すとんとした形のワンピースに、黒いソックス、黒の布靴という服装には主張が感じられた。女の子は、真っ黒な髪をおかっぱにして、黄色いTシャツと赤のスカート、老女と対照的な派手な身なりをしている。

「私は、水野と申します。このホテルを経営してる者です」

「初めまして、関口です」

敏子は意外さに驚きながら、自己紹介した。フロントの男が、ホテルの経営に文句を言っていたので、経営者はてっきり男性だと思い込んでいた。さらに一見したところ、水野は庭で有機野菜やハーブなどを作っていそうなタイプに見える。まさか、場末のカプセルホテルのオーナーがこんな洒落た人物とは思いも寄らなかった。

「野田さんを訪ねて見えたそうですね。なのに、留守番なんかお願いしちゃって、本当に申し訳ありませんでした。私も、まさか野田さんがあんな消え方をするとは思ってもいなくて」

水野は悔しそうだった。面倒を見てやったのに、と続けたいのかもしれない。

「で、関口様は、野田さんの行き先をご存じないんでしょうか」

水野が聞いた。何気なさを装っているが、探りを入れているように感じられなくもない。

「いいえ、全く知りません」

敏子はとぼけたが、野田と共犯になったように感じた。いずれ鍵束が見付かって、水野は野田が戻って来たことを知るかもしれない。その時は、自分も疑われるのだろうか。

「そうですか。もし、失礼なことを言ったのなら、ごめんなさい」

水野は顔色も変えずに謝った。まず率直に物を言い、相手の反応如何《いかん》では、謝罪もあり、と合理的に考える人物のようだ。子供は無言で、ピンクの子供向け携帯電話をいじくりながら、敏子を睨んでいる。敏子は何となしに不快になったので、試しに言ってみた。

「もし、野田さんから連絡があったら、水野さんにお知らせした方がよろしいですか」

「是非、お願いします。ちょっと売り上げのことで聞きたいことがある、とお伝えください」

水野は、薄い眉《まゆ》の下にある小さな目をしばたたいた。野田と関係のありそうな自分にも厭味を言っているのだ、と敏子は感じた。

「それは野田さんが不正をしたかもしれない、ということですか」

出過ぎた質問だと知りながらも、敏子は聞かずにおれなかった。

「それは言えません。ともかく、聞きたいことがある、とだけお伝えください」

野田が敏子に連絡して来ることを確信しているかのようである。先程の野田との会話を盗み聞きされたのではないか、と不安になるほどの物言いだった。敏子は椅子《いす》の上に置いてあったバッグを持って一礼した。

「じゃ、私はこれで失礼します。ドリンクの納品書はこちらにあります。それから電話での問い合わせが一件ありましたが、ご指示通り、満室だと言っておきましたから」

水野が、藍染《あいぞ》めの袋から、白封筒を取り出した。

「これは少ないですが、お礼です」

「結構です。行きがかり上、そうなっただけですので」

敏子が固辞すると、水野はきっぱりと言った。

「そうは参りません。労働には対価というものがございますのでね」

敏子は仕方なしに封筒を受け取ってホテルを出た。水野の態度が無礼に感じられ、不快だった。親切でしたことも労働と言うのか。表で、貰った封筒の中を見た。皺だらけの千円札が三枚。宮里への見舞金と同額だったので、敏子は苦笑した。
外はすっかり暗くなっていて、風が冷たかった。好天に誘われて薄着をしてきた敏子は震えた。心も寒く感じられてならない。敏子は、線路沿いの道をゆっくり歩きながら、今日一日のことを考えていた。長い一日だった。野田との関わりは、今後どうしたらいいのだろうか。野田が逃げ回っているのを知っていても、会って話したい気持ちは変わりない。しかし、野田がホテルで不正をしているのが事実だったら、野田が鍵を返しに来たことを隠した自分は、共犯と言われても申し開きができないだろう。病院でも連絡先を聞かれたし、野田の数々の不始末は、いつか自分にも迷惑が及んでくるかもしれない。野田と関わることはもうできない、と考える自分は、臆病者なのだろうか。敏子は立ち止まって、カプセルホテルのネオンサインを振り仰いだ。その途端、光が消えて、辺りが一瞬暗くなった。

（下巻へ続く）

魂《たま》萌《も》え！（上）

新潮文庫　き-21-3

平成十八年十二月一日発行
平成二十二年十月十五日三刷

著者　桐《きり》野《の》夏《なつ》生《お》

発行者　佐藤隆信

発行所　株式会社 新潮社

郵便番号　一六二―八七一一
東京都新宿区矢来町七一
電話　編集部（〇三）三二六六―五四四〇
読者係（〇三）三二六六―五一一一
http://www.shinchosha.co.jp

印刷・二光印刷株式会社　製本・憲専堂製本株式会社

ISBN978-4-10-130633-9 C0193